Fòs Lawouze

Adaptasyon woman
Jak Woumen
«Gouverneurs de la Rosée.»

D1452547

Maude Heurtelou

Tittle: Fòs Lawouze

Author: Maude Heurtelou

Adaptasyon woman Jak Woumen «Gouverneurs de la Rosée.»
Second Edition

© Copyright 2018, Educa Vision Inc. Coconut Creek. FL

For information, please contact:

Educa Vision Inc.
2725 NW 19th Street
Pompano Beach, FL 33069
Telephone: 954 968.7433
educa@aol.com
www.educavision.com

ENTWODIKSYON

Fòs Lawouze se yon adaptasyon *Gouverneurs de la Rosèe,* yon liv Jak Woumen pibliye nan lane 1947. Anplis, nou sèvi ak yon premye adaptasyon Kreyòl istwa a Fanfan te pibliye nan edisyon Bon Nouvèl nan lane 1980. Li te rele l *Mèt Lawouze.*

Adaptasyon sa nou fè jodi a gen tout enpòtans li paske li prezante yon opòtinite pou nou reviv istwa sa a ki gen plas li toujou nan reyalite peyi nou an. Li pèmèt timoun kou granmoun jwe wòl aktè yo swa nan lekòl swa nan aktivite kiltirèl. Timoun lekòl yo ak pwofesè yo ap apresye adaptasyon sa a pou yo jwe istwa a nan klas (NLA).

Lè Jounal Bòn Nouvèl te pibliye «Mèt Lawouze» nan lane 1980 anpil moun te enterese li adaptasyon sa a. Se yon bon adaptasyon ak desen ki rakonte menm istwa a nan lang Kreyòl.

Se Mod Etelou ki vini ak nouvo adaptasyon sa a. Mod se yon ekriven ayisyen ki pibliye de woman nan lang Kreyòl ak plizyè ti liv pou timoun.

Maude Heurtelou
Janvye 2000

3

De mo sou Jak Woumen:

Jak Woumen (Roumain, Jacques) *fèt kat Jen 1907 nan vil Pòtoprens. Li se pitit pitit Tankrèd Ogis, ansyen prezidan Ayiti. Msye te al kontinye etid segondè li nan peyi Lasuis apre li te kite lekòl Sen Lui Gonzag. Lè li te fini lekòl segondè li, li te ale rete nan vil Pari, Peyi Lafrans. Apresa, li te ale nan peyi Almay, Angletè ak Lespay. Li te tounen Ayiti nan àne 1927, lè li te gen ventan. Li patisipe nan fondasyon «Revue Indigène» epitou li te ekri ladan l. Li pa t vle kontinye idantifye tèt li ak elit sosyal peyi a, se pou sa li fè wout li nan mitan mas pèp la. Msye te fonde Lig Jenès Patriyòt Ayisyen. Nan ane 1929, lè grèv Damyen an, yo te arete li pou pawòl politik ki te soti nan bouch li. Premye liv li soti nan ane 1930:* La Proie et L'Ombre. *Apresa, li pibliye* Les Fantoches (1931), La Montagne Ensorcelèe (1931). *Msye te vle fè yon revolisyon sosyal. Se konsa li parèt ak* L'Analyse Schèmatique (1933), *yon tantativ pou entwodui lide maksis nan peyi Ayiti. Li vin fonde yon pati kominis (1934) ki lakòz li fè yon tou prizon. Li pran wout egzil epi li ale rete nan peyi Bèljik ak nan peyi Lafrans tou.*

Pandan tan sa a, li kontinye ap pibliye nan joual peyi sa yo. Se nan vil Pari li vin enterese nan etnoloji. Nan ane 1939 li pibliye ' Griefs de l'Homme Noir,' yon atik kont rasis. Msye patisipe pou fonde Biwo Etnoloji Pòtoprens. Msye mouri maladi siwoz 18 Out 1944, li te gen 37 an. Gouverneurs de la Rosèe *(Mèt Lawouze) prezante lavi peyizan yo. Li tradui nan 17 Lang.*

I. Fonwouj san espwa

Nan Fonwouj, yon ti lokalite tou pre

Kwadèboukè, pa t gen espwa pou moun ki t ap viv nan kanton sa a. Se konsa, Delira te koupi sou yon wòch, l ap plenyen sò li.

(Delira) -Nou tout ap fin pase; bèt, plant, moun, anyen p ap rete!

Byenneme, mari li, te chita pi lwen anba yon pye kalbas ap fimen pip li. Msye t ap kalkile bò pa li. Li sanble yon nonm ki dekouraje.

(Byenneme) -Nèg pa gen byen pou yo wè sou latè sa a!

Byenneme di fraz la ak yon soupi. Msye rele madanm li.

(Byenneme) -Delira! Delira o! Men, kote ou ye Delira!

Delira leve pou li pwoche Byenneme kou li tande msye rele non li a.

(Delira) -Apa mwen, m ap vini. M ap vini, wi. Byenneme, men mwen.

Kou Delira pwoche pre, Byenneme kòmanse pale.

(Byenneme) Aa! Bondye se mèt tè a, pa sa, Delira? Men, tè a pa ka bay anyen. Ki fè, se Bondye ki fè sitiyasyon sa a konsa, pa vre? Tchik!

Delira gale Byenneme ak men nan machwa. Li pa renmen lè msye gen kalite pawòl sa yo k ap soti nan bouch li. Sa fè tèt li chaje.

(Delira) - Pa toumante m, monchè! Sa n ap pase a pa kont? Ou vle chache madichon met sou li? Ay! Byenneme! Hm!

Delira vire do l, li antre. Koze a twòp pou li. Kou Delira vire li rantre, Byenneme kontinye reflechi pi rèd. Msye kage chèz li a sou pye bwa a.

(Byenneme) - Fanm mwen sa a? Dyòl ase li genyen.

Fonwouj te fin kaba. Byenneme t ap sonje tan lontan, kòman sa te konn pase. Lavi a pa t di konsa. Latè te bay plis rannman. Te gen dlo. Pyebwa te donnen. Fonwouj te gen anpil espwa.

Kote nou prale, nan kondisyon sa a!

(Byenneme) - Ah! Epòk sa a te bèl tout bon vre. Tè a te donnen. Tan jodi a, pa tan ayè vre! Tan ale, tan pa tounen! Ala renmen mwen ta renmen pou sa ta chanje...

Delira resòti, se konsa lide l vin frape sou pitit gason li a: Manwèl.

Yon sèl lapenn antre nan kè li. Manwèl pati lontan.

(Delira) - Adye o! Li dwe mouri. Mwen pa pran okenn nouvèl... Lasent vyèj manman, nan non ou ak nan non tout sen nan syèl ak sou latè a, voye je sou Manwèl, pitit gason m nan pou mwen, tanpri! O, mèt kalfou, louvri baryè a pou l pase non!

* * *

Pandanstan, pi ba, nan pye mòn lan, sou gran wout la, yon kamyon kanpe pou pasaje ka desann. Msye ki desann lan gen yon chapo nan tèt li, yon dyakout sou do 1 ak yon mouchwa nan men 1 pou siye swe k ap koule nan figi 1. Msye gade zòn lan toupatou, anwo anba, adwat agoch... Msye souke tèt li ak lapenn. Sa fè lontan li pa t wè Fonwouj.

(Manwèl) - Ou kwè, sa m wè a se vre! Gade jan mòn lan fin debwaze. Gade jan jaden yo fini...

* * *

Pi devan, sou wout la, anba mòn lan, msye ki te desann kamyon an kontinye ap mache byen prese. Li wè yon dam sou wout li. Li wè fi a bèl, li gade 1, li pa rekonèt li. Li di nan kè 1, kilès fi sa a? Li pwoche 1.

(Manwèl) - Bonjou, bèl nègès mwen.

Fi a vire je gade 1 epi li reponn li:

(Anayiz) - Bonjou msye.

(Manwèl - Kouman ou ye, bèl nègès?

(Anayiz) - Pa pi mal, msye, ak Bondye.

(Manwèl) - M se moun isit, wi. Mwen pa etranje. Gen lontan depi m kite peyi a, men, mwen toujou moun isit... M ap mache sou kenzan konsa depi mwen pati.... M te Kiba...

9

(Anayiz) - Hm! Tout bon?

Fi a vire gade msye ki sot Kiba a dwat nan je, se konsa tou msye a menm t ap gade toupatou tankou li twouve Fonwouj yon jan vin dwòl. Msye vin tris la menm. Li fè yon soupi.

(Manwèl) - Lontan isit la pa t konsa non. Fonwouj te yon vil plen espwa. Kote pichon sa a sòti tonbe sou Fonwouj?

Fi a twouve sa msye di a dwòl. Li fonse sousi l epi li gade msye tankou li pa konprann sa li ap di a. Li konprann se chèlbè nonm nan ap fè. «Mouche sa a pa manke frekan!» li di nan kè l. Jennonm nan manke tonbe tèlman l ap gade toupatou. Manmzèl gen tan kouri di: «Hey! kenbe ka ou!» Msye a gen tan pran ekilib li lamenm. Li rekòmanse pale.

(Manwèl) - Jodi a se jou mache, bèl nègès?

(Anayiz) - Wi, jodi a se jou mache Kwadèboukè.

(Manwèl) - Adye! Nan tan lontan, mache sa a te yon bèl mache, wi. Se la, tout moun te konn vini chak vandredi. Moun te konn soti byen lwen pou vin achte nan mache sa a.

Fi a gade msye tankou li pa fin konprann li. Epitou, nonm lan parèt jenn. Sa li konnen nan sa ki te konn pase nan tan lontan?

(Anayiz) - Tan lontan? Sa ou konnen? Lè sa a ou te ti katkat!

Msye gade dam lan. Li wè se yon fi enteresan. Msye pran san l pou li esplike fi a sa li vle di.

(Manwèl) - Se pa laj ki fè moun, non. Men se esperyans lavi. Apre kenzan nan koupe kann depi maten rive pou jouk aswè, fòk yon nonm touse kanson 1, mare senti 1 pou 1 sòti ak kichòy. Sa ou fè, se sa ou wè. Se dwa ou, se sèl jistis ou.

Fi a gade jennonm lan, li pa konprann kote li vle vini ak koze li a. Men, li twouve msye pale tankou yon moun ki gen lè save.

(Anayiz) - Jezi, Mari, Jòzèf, msye! Sa w ap di la a? Nou fèt nan mizè, nap mouri nan mizè!

Nonm nan pa dakò ak sa fi a di a. Msye souke tèt li epi, li di li:

(Manwèl) - Nou nan mizè, se vre, men, nou pa oblije rete nan mizè. Sèl chans nou se tè a. Si nou touse ponyèt nou pou nou travay, n a vin lib tout bon vre.

Fi a wè koze a fè sans. Li gade nonm nan tankou li renmen sa msye di a.

(Anayiz) - Se vre, wi. Menm tè a pa bay ankò. De grenn patat ou fè a pa rapòte ou anyen nan mache.

Yo kontinye ap mache. Se konsa yo rive devan pòt yon madanm ki ap pile kafe. Fi a salye madanm nan.

(Anayiz) - Bonjou, Kòmè Sentelya.

(Sentelya) - Kouman ou ye, sè Anayiz? E moun yo?

Yo kontinye mache. Lè yo rive pi devan, nonm nan fè yon ti reflechi epi, li mande fi a:

(Manwèl) - Se Anayiz ou rele?

11

(Anayiz) - Wi! Se konsa mwen rele.

(Manwèl) - Mwen menm, m rele Manwèl. Apre yon ti mache, Manwèl kanpe.

(Anayiz) - Se la mwen rete, wi. Mwen byen kontan pale avèk ou.

(Manwèl) - Mwen p ap rive lwen, non plis. M byen kontan ti pale sa a. M ta renmen wè ou ankò. Nou se vwazen, se tankou nen ak bouch nou ye.

Anayiz twouve sa dwòl pou nonm nan rete pre konsa pou li pa ta konnen ki moun ki fanmi li.

(Anayiz) - Ki kote ou rete la a?

Manwèl reponn li:

(Manwèl) - Pi wo a, nan chemen sa a. Mwen se pitit Delira ak Byenneme...

Anayiz sezi. Li pa t atann li ak sa ditou. La menm, li koupe Manwèl yon kout je, epi li vire do 1 li ale byen vit tankou li pa byen ak moun sa yo ditou.

Manwèl kouri dèyè 1.

(Manwèl) - He! tann non, bèl nègès...

Nan kè 1li di gen lè fi sa a tyak. Oo, «Fi sa a pa nan rans ak moun, non. Fanm ou wè a, hm!». Msye pa t rive gen tan pale ak Anayiz, manmzèl te derape byen vit 1 ale lakay li.

II Manwèl retounen

(Manwèl) - Aa! M resi rive lakay.

Manwèl fè sa li antre nan lakou a. Chen an pran jape.

(Chen) - «Wap! Wap!»

Li fè tankou l ap bese pou l pran yon wòch pou li voye dèyè chen an. Delira parèt pou li fè chen an pe epi pou li wè pou ki sa chen an ap jape a.

(Delira) - Lapè, lapè isit.

Li pichpich je l epi li di:

(Delira) - Ki moun sa a?

Lè li sispèk gen lè se pitit gason li an, Manwèl, li di:

(Delira) - Se pa vre!...

Kè Manwèl fè yan. Manman l kouri vini koke li.

(Delira) - Pitit mwen, Ayayay, pitit mwen...

(Manwèl) - Manman! Jan mwen te anvi wè ou, manman!

Dlo mande soti nan je Delira. Li kontan anpil... Li leve je l gade Manwèl ankò, li gade li plizyè fwa. Delira tèlman kontan, dlo soti nan je li.

(Delira) - Mèsi Bondye! Pitit mwen! Ay, pitit mwen! Pitit mwen an tounen!

(Manwèl) - O, manman, jan m te anvi wè ou! Pa kriye manman! Apre move lavi mwen bat nan peyi etranje a, m isit la jouk m antre anba tè.

Byenneme parèt. Msye sezi wè se pitit gason li an ki tounen. Manwèl kouri sou li pou li salye li.

(Manwèl) - Papa!

(Byenneme) - Vin ban m lanmen, pitit gason m. Pou ki sa ou pa t voye di nou ou t ap vini? Nou ta voye yon bèt vin rankontre ou pou pote chay la pou ou. Gade jan ou fè manman ou manke mouri sezisman. Ban m mete chay ou a atè pou ou.

(Manwèl) - Ou mèt kite 1, papa, li twò lou pou ou.

(Byenneme) - Ou pote tabak?

(Manwèl) - A! M pote bon siga pou ou!

(Byenneme) - Ou kwè li bon? Se bon siga, mwen fimen, wi.

(Manwèl) - Se ak bon jan tabak li fèt, papa. Byenneme pran siga a, li fè yon rale.

(Byenneme) - Wi pip! Tabak sa a pa manke bon!

Pandanstan papa 1 ap jwi siga a, Manwèl vire gade ozalantou lakay li a. Li gade anwo, li gade anba. Li gade adwat, li gade agòch. Li gade Fonwouj ak lapenn. Manman 1 ki t ap suiv li reyaji lamenm.

14

(Delira) - Manwèl! Manwèl, o! Sa ki nan tèt ou pitit mwen?

Papa l tou rann li kont Manwèl gen yon bagay ki ap boulvèse li.

(Byenneme) - Kote lespri ou ye konsa a, Manwèl? Ou tankou moun ki wè lougawou gwo lajounen.

Nan Fonwouj moun resevwa moun ak yon kout kleren. Delira lonje yon boutèy kleren pou Manwèl. Lamenm, msye kage l nan gagann li san rete.

(Manwèl) - [Glòt! Glòt, glòt!] Mèsi manman. Ayayay! Kleren sa a kapab leve yon mò, wi.

Manman l wè msye bwè tout kleren an, li pa kite pou mò yo tankou se abitid moun Fonwouj.

(Delira) - Manwèl, apa ou bliye, fò lezanj yo bwè tou!

(Manwèl) - Mwen plis nan bezwen kleren sa a pase mò yo, manman. M te swaf anpil, se pa ti kras.

Papa l gade l ak yon rega sevè epi li di l:

(Byenneme) - Ou pa manke vin wòklò, koulye a, Manwèl. Tradisyon, se tradisyon. Kite vye atitid sa a pou nèg sòt, tande!

Manwèl remake papa l pale avèk li yon jan tyak, msye reyaji lamenm.

(Manwèl) - Ou gen lè pa t anvi wè m, papa? Papa a pa t atann Manwèl ta di yon bagay konsa.

(Byenneme) - O! Kilès, kilès ki... di... sa a? O, pitit, pa di koze konsa, non!

Erezman, Delira rantre lan mitan de mesye yo pou li mete ola.

(Delira) - An nou kite sa la, tande. Manwèl, nou tou de byen kontan wè ou, sèl pitit gason nou an. Mèsi lavyèj, lèsen, lezanj.

Byenneme twò kontan wè Manwèl. Men, se konsa li ye, li se yon nonm ki respekte kwayans peyi li. Nan Fonwouj tout moun gen respè pou tradisyon, kwayans ak obligasyon yo. Se konsa tou, Byenneme leve kote li te chita a pou li ale fè moun nan vwazinaj la yo konnen Manwèl rantre. Sa se prensip moun Fonwouj tou. Vwazinaj se fanmi.

(Byenneme) - Te m al gaye nouvèl la nan vwazinay la.

Byenneme pati. Manwèl rete ak manman li.

(Delira) - Yèswa m t ap di Byenneme ou kwè m ap gen tan wè ou anvan mwen mouri epi gade ou vini.... Kò a ap tyoule, pitit mwen! Lavi a difisil. Lapli pa tonbe, zannimo kou kretyen vivan ap deperi bò isit la. Ou kwè Bondye pa bliye nou?

(Manwèl) - Pa mele Bondye nan koze sa a, manman!

(Delira) - Fè kwa sou bouch ou, pitit. Pa pale konsa, tande. Se Bondye ki pèmèt tout sa ki fèt fèt.

(Manwèl) - Tande manman... Nan syèl la zanj yo ap chante tout lasent jounen tankou wosiyòl. Men, sou latè a, sa ou fè, se li ou rekòlte. Latè menm jan ak yon bon fanm. Lè ou maltrete 1, li voye pye... Gade mòn yo, nanpwen rasin bwa pou kenbe tè a. Konsa ou wè Bondye pou anyen nan koze sa a. Se nèg ki vire do bay tè a. Se pou nèg peye.

(Delira) - Pe bouch ou, pitit mwen. Verite sa yo fann kè mwen.

* * *

Bri kouri Manwèl tounen, vwazinay gen tan ap sanble. Moun vin soti toupatou pou vin rankontre Manwèl.

(Vwazen 1) - Ou fè anpil tan deyò frè mwen!

(Vwazen 2) - Nou kontan wè w, wi!

(Vwazen 3) - Jan manman w t ap tann ou sa a!

(Manwèl) - Se vre?

Gen yon fi ki pran lapawòl, li di:

(Fi) - Lòt jou, m ap rakonte manman ou yon rèv mwen fè... M wè yon nèg nwa kanpe nan gran chimen an. Li di mwen: «Ale wè Delira». Epi je m vin klè. M kwè se papa Legba...

Simidò parèt, li di:

(Simidò) - Osinon se mwen. M granmoun se vre, men jouk koulye a, medam yo toujou renmen m. Yo kab byen wè m nan rèv!

(Foui la) - Ha! Ha! Ha! Ha!

17

Lèmiz reponn li :

(Lèmiz) - Pe bouch ou, kò rèd! Ou prèt pou mouri, ou nan dezòd toujou?

(Simidò) - Ha! Ha! Ha! Ha! Disrespè figi ou, pwovèb la di: Pise ki gaye pa kimen. Tonnè fann mwen, si ou pa gason vanyan...

(Lèmiz) - Granmoun sa a toujou ap sèmante sou moun! Malelve. San lizaj!

Byenneme parèt, li kontan montre tout moun yo pitit gason li. Li di yo:

(Byenneme) - Mesyedam, gade Manwèl. Nou ka di se pitit mwen vre. Lè m te jenn se konsa m te ye. Se laj ak lamizè ki desann mwen konsa.

Dorelyen di Manwèl:

(Dorelyen) - Bon, Manwèl. Èske ou konn pale lang kiben yo?

(Manwèl) - Men wi, monchè.

(Dorelyen) - Mwen menm tou, m *abla*. M ale de fwa nan panyòl. Moun yo tankou nou menm, se po yo ki ti kras pi wouj ase... Fòk mwen di nou fanm lòt bò sa yo, se milatrès ak bèl très chive, wi. Mwen te konn youn. Se dyòl loulou. Li te gra anpil. Li te rele mwen Antonyo. Mete li ak fanm bò isit yo. Aal... Tuip! Men ti cheri sa a ap gade m men, li pa vle plase avè m!

(Lèmiz) - Mwen pa cheri ou! Vakabon. Sanzave!

Manwèl ap gade moun yo ki reyini pou yo vin rankontre li yo. Li kontan wè yo men, li gen yon ti lapenn pou yo. Li wè pa gen anyen ki kenbe yo. Latè pa bay, pa gen manje, pa gen lespwa. L ap pale nan kè 1.

(Manwèl) - Kouman yo fè pou yo viv... Lavant detwa bout chabon... Kèk ti poul... Osinon yon ti zannimo tou mèg. Podyab! Yo bliye tèt yo nan yon vè kleren!

Simidò tounen ap pale sou medam yo. Blag li yo fè kè mesye yo kontan epi se konsa tou sa ede yo bliye kèk pwoblèm lavi a.

(Simidò) - Mezanmi, nou wè ti nègès sa yo rele Eloyiz la? Se woule, l ap woule koulye a. Depi yon fanm nan kach kach liben ak ti kòk, ou tou konnen... Men, lontan... se te pakèt mannèv, fent ak anpil pale franse anvan pou yon nonm te pwoche yon fi pou di li ou renmen li. Apresa tou, pye ou te mare kou krab: Kay pou bati, mèb pou achte, vesèl pou achte. Mwen sonje defen madanm mwen, Meli. Bèl fanm!.. Se pa ti mannigèt mwen te fè anvan m te resi marye ak li. Ayiii! Men podyab, gen lontan depi li mouri.

Mesyedam yo mande Simidò pou li manyè pe bouch li pou lòt moun ka pale ak Manwèl.

(Vwazen 1) - Manwèl, gen dlo nan peyi laba sa a?

(Manwèl) - Se sa ki pa manke. Dlo k ap wouze tout yon plantasyon kann ki pran depi isit rive lavil.

(Vwazen 1) - Konsa, yo gen dlo? Mesye o!

(Vwazen 2) - Kilès ki mèt tè a, ak tout dlo sa yo?

(Manwèl) -Yon blan meriken yo rele: Mistè Wilsonn. Tout bagay se pou li: izin, dlo, tout!

(Vwazen 3) - Èske gen moun tankou nou menm?

(Manwèl) - Si w ap pale moun a ti jaden, volay, zannimo: non. Laba a, tout moun ap swe nan solèy nan koupe kann pou Mistè Wilsonn. Li menm atò l ap pran plezi ak lòt blan parèy li yo nan lonbray!

(Simidò) - Si travay te bon konsa, lontan blan rich yo ta pran l nan men nou!

(Lèmiz) - Ou resi di yon bagay serye!

(Manwèl) - Tande... Se pa de twa ayisyen mwen kite laba a. Yap viv tankou chen. Panyòl yo di: Touye yon Ayisyen se kòm si yo ta touye yon chen!

(Vwazen 3) - Ala frekan!

(Vwazen 2) - Se konsa wi, frè. Lavi a di pou nou menm malere. Bourik travay, chwal galonnen: Nou se chodyè, nou kuit manje, nou pran chalè dife, men nou twò sal pou nou moute sou tab!

(Vwazen 1) - Sa, se pa manti!

III. MANWÈL NAN BOUK LA

Apre moun yo te fin pale ak Manwèl y ale lakay yo. Nan denmen Manwèl leve byen bonè, li soti deyò nan lakou a.

(Manwèl) - Li ponkò fin jou!

Kou chen an tande vwa Manwèl, li pran jape...

(Chen) -« Wap! Wap!»

(Manwèl) - Sòti... Sòti, ala chen anmègdan!

Bwi chen an ki ap jape ak vwa Manwèl ki ap pale a reveye manman msye.

(Delira) - Ou leve twò bonè pitit mwen. Èske ou byen dòmi?

(Manwèl) - Bonjou manman. Bonjou papa, kouman nou pase nuit la, papa?

(Byenneme) - Yèswa mwen pa dòmi menn, Manwèl. Mwen bat kò m jouk li jou.

Delira gade Byenneme delatètopye ak yon ti kontantman.

(Delira) - Ou te kontan wè pitit ou!

(Byenneme) - Ki kontan sa a. Pinèz ki enpoze m dòmi!

21

Byenneme ale chita sou bout mi nan lakou a. Li limen pip li epi 1 ap gade tè a... Msye chimerik. Li gen lè gen pwoblèm. Manwèl vanse kote 1 epi li pran egzaminen tè a tou.

(Manwèl) - Tè a bon toujou. Se dlo ase li bezwen! Papa, Sous Fanchon chèch tou?

(Byenneme) - Sous Fanchon?

(Manwèl) - Pou dlo a?

(Byenneme) - Pa yon ti gout!

(Manwèl) - Ata sous Lorye tou?

(Byenneme) - Ala tèt ou di, pitit! Nanpwen dlo ditou. Sòf nan ma Zonbi. Men, se yon lagon ki plen marengwen!

***

Pita, Manwèl rele manman 1, li di 1...

(Manwèl) - Manman! Kouman nou fè pou nou viv?

(Delira) - Bondye bon, pitit mwen!

(Manwèl) - Chita pa bay, manman. Ou mèt tann depi jodi a jouk ou about, sen yo, lèzanj yo, p ap fè anyen pou ou. Se nou ki pou donte tè a. Dlo a se nou ki pou fè mirak ak fòs ponyèt nou!

Manman 1 gade 1 epi li souke tèt li ak espwa.

(Delira) - Ou konn pale pitit mwen. Manman ou pa save. Men pitit, ou dwe konnen se Bondye ki kòmande. Epi tou zanj yo, tou lwa yo obeyi 1. Ou bliye?

Manwèl tande, li pa reponn. Yon lòt ti moman, msye di:

(Manwèl) - M al fè yon kout pye nan bouk la!

Manman li gade l ak etonman tankou li pa atann li pou Manwèl ta gen tan ap soti ale mache nan bouk la.

(Delira) - Kibò ou prale? Pa mize, non.

Papa l gade msye, li souke tèt li. Kou msye ale msye di:

(Byenneme) - Li fèk parèt, li gen tan pran lari!

Manwèl al vizite bouk la. Li pran mache sou wout la. Li kontre detwa nèg k ap travay latè a. Pi devan, li kontre yon jennonm ki ap tyake tè a. Nonm nan salye l an premye.

(Manwèl) - Kouman kè a ye la a?

(Jennonm) – N ap kenbe, wi, frè!

Yon lòt nèg pi devan salye Manwèl epi li mande l:

(Nèg) - Hey! Se ou menm ki fèk rantre sòt Kiba a?

(Manwèl) - Se mwen, wi!

(Nèg) - Ou se pitit Byenneme?

(Manwèl) - Pozitif!

Nèg la souke tèt li, li krache. Yon lòt nonm ki pa t lwen yo vire do bay Manwèl tou.

(Nèg) - Tchik!

Manwèl vire do l, li ale byen vekse. Li di nan kè l:

(Manwèl) - Ki koze sa a! Lòt jou, ti kòmè a fè menm bagay la!

Manwèl twouve atitid kèk moun nan bouk la dwòl avèk li. Pou ki sa moun yo krache kou yo tande li se pitit Byenneme a? Sa k ap pase, mezanmi? Pandan l ap reflechi sou sa, pi devan, yon mesye ki pa t lwen bò wout la pwoche pou mande Manwèl yon enfòmasyon.

(Dorelyen) - Oo, apa se pitit Byenneme a. Manwèl, monkonpè, ou pa wè yon jiman wouj nan zòn lan pou mwen? Vye bèt la kase kòd li!

(Manwèl) - Non, mwen pa wè li, Dorelyen.

(Dorelyen) - Monkonpè, mwen wè ou pran lari. W ap vizite bouk la, frè?

(Manwèl) - Ebyen, tande ak wè se de. M ap gade si sab la pa t kache yon ti kouran dlo bò isi a! Gen lè nanpwen dlo tout bon vre! Mwen pa menm bezwen chache. Se lave men siye atè! Fout tonnè! Pou ki sa moun yo koupe tout pye bwa ki te sou mòn lan? Ala kote ou wè bann moun san konprann, papa!

(Dorelyen) - Sa ou vle, frè! Pou nou fè lantouray ak fetay kay yo, nou te bezwen bwa. Nou koupe pye bwa yo. Epitou, nou pa t konnen. Nesesite ak pa konnen mache ansanm. Pa vre?

(Manwèl) - Se byen domaj.

(Dorelyen) - Bon! Kite m ale wè kote jiman sa a ye. Mwen ta renmen l kwaze ak vye chwal konpè Dorisman an! Ou pral nan gadyè denmen?

(Manwèl) - Mwen pa kò konnen, Dorelyen.

(Dorelyen) - Ebyen m ale. Kenbe la.

(Manwèl) - Monchè, anvan ou ale, m ap di ou yon bagay, Dorelyen. Koute. Koute mwen byen. Afè dlo a, se kle pou rezoud pwoblèm Fonwouj. Dlo se lavi osinon lanmò pou nou!

(Dorelyen) - Ou panse sa, Manwèl?

(Manwèl) - Pozitif. Nou pa ka mete Fonwouj sou de pye l si nou pa gen dlo.

(Dorelyen) Kouman ou pral fè pou ou jwenn dlo sa a?

(Manwèl) - Mwen menm Manwèl? Tonnè boule m m ap jwenn dlo a, epi m ap mennen li nan plenn lan! Ou la, w a wè. An nou sere koze nou!

Dorelyen renmen sa Manwèl di a. Li dakò avèk li lamenm.

(Dorelyen) - Vyèj pete je m si pawòl sa a soti nan bouch mwen...!

(Manwèl) - Eske w ap ban m konkou ou sizoka?

(Dorelyen) - San gade dèyè!

(Manwèl) - Dakò?

(Dorelyen) - Dakò!... Konpè Manwèl o! Ou mèt parye sou kòk mwen an denmen tande!

De mesye yo bay lanmen tankou yo bay mo yo pou yo travay sou pwojè sa a kanmenm epi pou yo arive jwenn rezilta. Pita, Manwèl rantre lakay li. Manman 1 te chita sou yon gwo wòch nan lakou a, li t ap tann msye.

(Delira) - Ou tounen?

(Manwèl) -Wi manman, mwen tounen. Manman, kite m voye yon ti dlo sou kè m, apresa, nou gen yon koze pou nou fè!

IV. Fonwouj divize

Lè msye fin benyen, li chanje rad li epi li vin chita kote manman l. Manwèl rakonte l rankont li fè nan lajounen an. Li di l tou, an plizyè fwa, kou li di kèk moun nan bouk la li se pitit Delira ak Byenneme, moun yo tuipe, yo krache epi yo ba li do. Sa rive li jodi a ankò ak yon nèg sou wout la.

Manman msye tande l san li pa di yon mo. Li mete men l nan machwa l. Byenneme li menm, kote li chita a, li t ap suiv kozman an. Li mande Manwèl:

(Byenneme) - Kouman nèg sa a ye? Se yon nèg nwè? Mal bati? Ak je fon, chive l tankou grenn pwav?

(Manwèl) - Wi, papa!

(Byenneme) - Se Jèvilyen! Sanzave a! chen an!...

(Manwèl) - Ayè, mwen fè lawout ak yon ti nègès, po fen, bèl dan blanch. Mwen annik di li kilès mwen ye, li vire do l. M kwè li rele Anayiz!

(Byenneme) - Aaa! Se pitit Wozana ak defen Bobwen! Mwen pa mele ak moun sa yo!

(Manwèl) - Sa nou genyen?

(Byenneme) - Bagay sa a la lontan. Men, se tankou ayè. Ou te Kiba lè sa a. San te koule... Hm!

(Manwèl) - Ou mèt pale, papa! M ap koute ou!

(Byenneme) - Enbyen, Jwanès Lonjanis, yon paran nou, te gen anpil tè. Men, konsa tou li te chaje ak pitit. Lè li mouri, nou te blije fè pataj tè sa yo. Doriska, pitit Jwanès ak yon gran tant nou, pa t dakò pataj la. Yon jou li moutc sou tè a ak tout konbit li pou li travay. Defen Sovè, frè mwen, gason kanson, al mande li sa ki ba li dwa sa a? Manchèt rale, Sovè blayi Doriska de pye long. Batay pete, anpil san te koule... Mwen menm tou...

(Manwèl) - Ou mèt pale, papa!

(Byenneme) - Sovè mouri nan prizon. Ay!... Se konkou jijdepè nou te oblije pran pou fè pataj la.

Depi lè sa a fanmi an separe tou. Youn pa konnen lòt. Jèvilyen sa a se pitit Doriska!

Delira tou pwofite di:

(Delira) - Ti nèg sa a chaje ak move mès. Lè li anba kannèl li, li ka fè nenpòt bagay!

Manwèl souke tèt li ak desepsyon. Afè pou fanmi an divize an de kan an pa antre nan santiman li ditou. Papa 1 mande 1:

(Byenneme) - Sa ou di nan sa, Manwèl?

(Manwèl) - Si se konsa sa ye, papa, mwen byen regrèt sa!

Papa l gade ak enkyetid epi li mande l:

(Byenneme) - Pou ki sa ou regrèt sa, pitit mwen? Mwen pa konprann ou non. Sa ou vle di, Manwèl?

Manwèl pa reponn. Pita, li sòti, paske tèt li te chaje. Epi sa tou rete la.

V. Sèvis pou lwa yo

Kèk jou apre, Manwèl fè bèl travay nan kay la, li te deside chanje bwa pouri yo pou li mete bon bwa. Li te gen pou li te fè yon tonèl tou.

(Manwèl) - Bwa yo te pouri, manman!

(Delira) - Apa ou gen tan fin ranplase yo!

Mwen byen kontan. Paske mwen voye nouvèl bay Dòmeyis!

(Manwèl) - Dòmeyis?

(Delira) - Oungan an, monfi!

(Manwèl) - A bon?

(Delira) - M deja envite lafanmi avèk vwazinay yo. Denmen ou pral achte 5 galon kleren ak 2 boutèy wonm nan bouk la pou mwen!

* * *

Nan denmen swa, tout vwazinay yo te reyini pou sèvis ki ta pral fèt kay Delira a. Manwèl te soti. Sèvis la kòmanse dèyè do 1. Se konsa, Dòmeyis pran lwa. Msye kòmanse:

(Dòmeyis) - Papa Legba louvri baryè a pou nou, agoye, agoye!

Byenneme di:

(Byenneme) - Fò nou sèvi vye ginen nou yo, wi! Yon lòt nonm ajoute:

(Nonm) - Lavi nou nan men yo...

Yon kadè konsa, Manwèl deside rantre lakay li.

(Manwèl) - Bon! Fòk m ale wè sa k ap pase! Kou li parèt se ak Delira li kontre:

(Delira) - Kote ou te ye, Manwèl? Mwen chache ou tout kote!

(Manwèl) - M te deyò a, wi!

Dòmeyis pran pale pi rèd. Lwa a monte li tout bon vre.

(Dòmeyis) - Aa! gason Manwèl retounen? Kote li?

(Manwèl) - Mwen la a wi!

(Dòmeyis) - Reponn mwen, wi papa!

(Manwèl) - Wi... papa!

(Dòmeyis) - Ou gen lè vin wòklò kounye a?

(Manwèl) - O! non.

(Dòmeyis) - Se pou reponn: non, papa!

(Manwèl) - Ok!... non, papa!

Oungan an kanpe epi, li tonbe danse.

(Dòmeyis) - Bolada, Kimalada, o Kimalada. N ap fouye kannal la ago, n ap fouye kannal, mwen di, ago. Vin louvri, san koule Kimalada, kimalada o !

Delira sezi. Ki kalite chante sa a... k ap pale sou fouye kannal, sou san k ap koule...

(Delira) - Byenneme, mwen pa renmen chante papa Ogou a ap chante la a, non. Kè m vin lou. Mwen pa konprann sa ki ap rive mwen la a!

Sèvis la kontinye, li fini jouk devan jou.

VI. Lavi a vin pi di

Jou pase. Manwèl menm pa t bliye koze dlo a ki pa genyen nan bouk la. Manwèl toujou al koupe bwa pou l fè chabon epi pou Delira al vann jou mache. Ak ti Kòb sa a, Delira achte ti bagay pou kay la, ti tabak pou Byenneme, Simidò ak lòt zanmi. Delira toujou pote yon ti bagay pou chak moun ki gen antre soti nan kay la menm moun ki konn vin bay kèk tripotay detanzantan yo... Chak apremidi, Manwèl chita ap trese chapo. Anpil fwa Dorelyen konn vin ap pale avè l...

(Dorelyen) - E, zafè dlo a, monkonpè?

(Manwèl) - M poko, m poko. Men, m sou tras li!

(Dorelyen) - Si pa gen dlo, nou tout ap peri, wi, monkonpè.

(Manwèl) - Tande, Dorelyen. Sa nou ye pou peyi a?... Anyen...! Yon jou, n a rive konprann sa. Lè sa a, tout moun va revòlte. Lò sa a, n a bat rasanbleman pou tout mèt lawouze.

Apre yo fin koze kont yo, Dorelyen leve pou li ale.

(Dorelyen) - M pral gade bèt mwen yo. Pawòl ou yo, Manwèl, ap rete nan fon kè m. Yo gen anpil pwa, wi.

(Manwèl) - Ou gen tan ale, Dorelyen? Deja!?

(Dorelyen) - N a wè, chèf. M ap tounen.

(Manwèl) - Pou ki sa ou rele m chèf la?

(Dorelyen) - M pa konnen.

Dorelyen ale. Se konsa papa Manwèl rele li.

(Byenneme) - Manwèl, O! Al gade kote ou wè ti bèf pentle a pou mwen! Mare 1 nan pikèt avèk yon bèl longè kòd, pou 1 sa pa anpetre!

(Manwèl) - Wi, papa!

Se konsa Delira parèt pou li diskite yon koze ak Byenneme. Li rann li kont Byenneme pral vann bèf pentle a. Li pa dakò. Li di Byenneme:

(Delira) - Pou ki sa...? Pou ki sa ou pa tann li grandi. Apre li fin fè pitit, nou ta vann li, sa ou di?

(Byenneme) - Ak kisa n ap viv la a, si nou pa vann li n ap gen tan manje dan nou jouk nan jansiv, si n ap tann toujou!

Manwèl pwoche bèf la epi li lanse li ak yon kòd.

(Manwèl) - Men li! La a a, brigan! Ola a tibilan! Ou pral chanje mèt, ou pral kite savann lan!

VII. Entimidasyon

Apre Manwèl fin mare bèf la pou papa li, msye ale fè yon ti desann nan bouk la. Lè li rive bò kay Ilaryon, chèf seksyon an, Ilaryon t ap jwe kat ak yon lòt nonm. Ilaryon leve je li, li gade, li wè Manwèl ap pase epi li rele li.

(Ilaryon) - Ey! Mwen te byen bezwen wè avèk ou. Tann yon ti moman, m gen yon koze pou m fè avèk ou!...

Manwèl kanpe tann. Ilaryon kontinye ap jwe ak lòt nonm lan. Li pa menm okipe Manwèl, se tankou msye pa t menm la ap tann li menm.

(Ilaryon) - Dis kawo. Ban m las ou a!

(Lòt nonm) - Mwen pa gen las, non!

(Ilaryon) - Ban m las ou a, fout! Visye! radi!

Nonm k ap jwe ak Ilaryon an di nan kè 1:

(Lòt nonm) - Malveyan!

Lè finalman lide 1 di 1, Ilaryon fè nonm ki ap jwe avèk li a konnen li ap fè yon ti kanpe apre jwèt sa a pou li ka pale ak Manwèl.

(Ilaryon) - Sa m tande konsa? Apa m tande ou annik vini epi w ap pale avèk abitan yo! W ap koze tout kalite koze

37

avèk yo... Tande. Ebyen, koze sa yo pa nan gou otorite bò isit yo. Koze sa yo, se koze k ap monte tèt pèp la! Pa di konsa, mwen pa t avèti ou davans, tande!

Manwèl fin tande Ilaryon epi li pare pou li deplase.

(Manwèl) - Se tout?

(Ilaryon) - Wi, se tout, ou mèt ale....

Ilaryon fini di sa li t ap di a. Li konnen fòk Manwèl konprann sa li vle di 1. Pa gen pi bon entimidasyon pase sa. Li retounen nan jwèt kat li a.

(Ilaryon) - Wi, se tout!... Dis, trèf, nèf trèf...

Ban m las ou a!

(Lòt nonm) - Men... M pa gen las, non.

(Ilaryon) - Aa! makak. Ou kwè ou gen fòs pou jwe avèk Ilaryon Ilè, aprann sa a tande, koken! Se mwen ki chèf isit!...

Manwèl kontinye mache sou wout li epi se konsa li wè detwa ti mesye k ap mache nan chemen an. Li tande y ap pale, youn di:

(Ti mesye) - Lè m gran, m ta renmen tankou nèg sa a.

Manwèl tande sa timoun yo di a. Li pwoche yo epi li manyen dèyè tèt youn nan yo.

(Manwèl) - Kouman ou rele?

(Monpremye) - E...E...E... Monpremye..., wi!

Se konsa, manman Monpremye gen tan parèt epi li fè li rantre andedan lamenm.

(Manman) - Monpremye, pase ou isit!

Manwèl kontinye mache, li twouve sa dwòl pou manman Monpremye rele li kou li ap pale avèk li a. Erezman, li sispann panse sou sa kou li wè Anayiz ap pase.

VIII Manwèl ak Anayiz

(Manwèl) - M di ou bonswa wi, Anayiz!

(Anayiz) - Rete... Wete, kò ou devan m.

(Manwèl) - Rakonte m sa mwen fè ou, Anayiz. Pou ki sa ou fè m lènmi?

(Anayiz) - M pa gen okenn esplikasyon pou m ba ou... Ban m pase!

(Manwèl) - Gade m anvan, m pa vle fè kont avèk ou Anayiz. M gen yon bon jan amitye pou ou. Ou mèt kwè m anverite!

(Anayiz) - Ay mezanmi, gade yon nèg tèt di! Ou gen lè pa gen zòrèy pou tande. M di ou kite m an repo. Ban m lè pou m ale lakay mwen!

(Manwèl) - M chache ou toupatou, Anayiz men, ou kache. Ou fè tankou mwen se lougawou. Mwen pa lougawou, bèl nègès. M te vle pale avèk ou, paske m konnen ou kapab ede m!

(Anayiz) - Mwen menm? Ede ou! Kouman mwen ka ede ou a?

(Manwèl) - M ta ka esplike ou kouman men, fòk ou ta vle rete koute m.

(Anayiz) - Men... gen moun ki kapab wè n ap pale, epi...

(Manwèl) - Pèsonn p ap wè nou... Epitou, menm si yo ta wè nou...! Anayiz, èske ou pa bouke ak tout rayisman sa ki nan mitan nou an?

(Anayiz) - Nou toujou gen traka nan lavi a epi lavi a ap vin pi di, wi!.. Bon... Kite m pase Manwèl, kite m ale lakay mwen pou lanmou Bondye!

(Manwèl) - Kifè, ou pa t bliye non mwen!

(Anayiz) - Pa toumante m!

Manwèl pran men Anayiz men, li vle rale l. Erezman, li pa santi kouraj li pou li rale men l tout bon.

(Anayiz) - Ou se yon fanm ki konn travay, Anayiz!

(Manwèl) - Wi, se vre! Men, men m yo blaze!

(Manwèl) - Ou konnen, Anayiz? M gen yon gran koze pou m fè avèk ou, wi.

(Anayiz) - Nou p ap gen tan, Manwèl. Tande lanjelis k ap sonnen!

(Manwèl) - Èske ou pè m, en, Anayiz?

(Anayiz) - M pa konnen!

(Manwèl) - Demen apremidi, kou solèy la ap lage kò l anba pye mòn la, m ap tann ou sou bit nan tanyen an. Èske w ap vini?

(Anayiz) - Non! Non! Oo!

(Manwèl) - Ana! W ap vini, pa vre Ana?

(Anayiz) - Aa! w ap toumante m. Se tankou w ap fè mwen pèdi bonnanj mwen. Pou ki sa w ap toumante m konsa, Manwèl!

(Manwèl) - Li ta, Ana, ale non. Al repoze kò a, nègès mwen!

(Anayiz) - Ok. M ap vini!

(Manwèl) – M ap tann ou wi, Ana!

Nan demen apremidi, sou wout la, plizyè abitan ki te sòt nan mache t ap rantre lakay yo sou chwal osnon apye. Gen yon chwal ki rete jouk dèyè. Se chwal Anayiz la. Manmzèl yon ti jan enkyete, li vire gade toupatou. «Pa gen moun ki wè m!» li di nan kè 1. Li rele sou chwal la: «Ale, Ale!» Epi chwal la mennen 1 nan direksyon bit nan tanyen an. Manwèl ki t ap tann li gen tan wè se Anayiz k ap vini. Msye di:

(Manwèl) - Aa! men manmzèl!

(Anayiz) - M di ou bonswa, wi, Manwèl!

(Manwèl) - Bonswa, Ana! Alò, ou vini!

(Anayiz) - Ou wè m vini, men, m pa t fèt pou m te vini, Manwèl. Tout lannuit lan, mwen te an de lide. Mwen batay ak lide m. Mwen di non, m p ap vini, men, maten an, kou kòk chante, m abiye, m bay yon manti pou m te kapab vini!

43

(Manwèl) - Mwen kontan ou vini, Ana. Ou fè bèl lavant nan mache a?

(Anayiz) - Adye, frè m. Kèk ti mamit mayi ase! Manwèl, O!

(Manwèl) – M ap koute ou, Ana.

(Anayiz) - Mwen se nègès seryèz, ou konnen. M ap tou di ou, nan pwen yon gason ki janm manyen m. M vini, paske m konnen ou p ap gaspiye m!

(Manwèl) - Konfyans se yon mistè. Yo pa achte sa, ou pa kapab di ban m pou tan. Se tankou yon bagay ou ka li byen klè nan de grenn je yon moun. Mwen p ap gaspiye ou tande, Ana. Mwen pa moun pou sa. Depi ou gade yon moun ou kapab konnen si l ap di ou laverite oubyen si l ap woule ou. Depi premye jou a... W ap tande, Ana? Depi premye jou mwen wè ou a, m wè ou inosan. Kè ou te klè tankou dlo kokoye, tankou limyè zye ou yo!

(Anayiz) - Pa koumanse vin fè galan la a! Sa pa sèvi anyen, epi sa pa nesesè. Mwen menm tou, lè m te kontre avè ou sou wout la, m te di nan kè m ou pa sanble ou menm jan ak lòt mesye yo ditou. Ou gen lè sensè... Jezi, Mari, Jozèf sa m ap di la a? Apa m ap depale...

(Manwèl) - Pa koumanse avèk konpliman la a, bèl nègès. «Sa pa sèvi, anyen!»...

Toude tonbe ri. Manwèl gade Anayiz epi li di 1...

(Manwèl) - Ou ri tankou ti toutrèl!

(Anayiz) - M a pral vole tankou toutrèl si ou pa sispann ak tout konpliman sa yo!

(Manwèl) - Èske ou ta vle chita la a. Rad ou a p ap sal, Ana?

(Anayiz) - Manwèl, ki gwo koze ou gen pou di m lan en? Mwen menm Anayiz m ta renmen konnen kouman m ta kapab rive ede yon nèg save tankou ou!

Manwèl rete yon ti moman, epi li di...

(Manwèl) - Ou wè koulè plenn lan? Ou ta di pay y ap mete nan fou. Rekòt la peri. Egal, pa gen espwa ankò pou nou menm abitan Fonwouj. Kouman n ap viv? Se sou mirak n ap konte. Men, se desann n ap desann... N ap degre ngole jwenn lanmò. Yon sèl bagay tout moun bò isit gen nan tèt yo, se fè sakrifis bay lwa yo pou lapli kapab tonbe. Men tout sa, se betiz, makakri, gaspiyay! Sèvis lwa pa ka fè anyen pou nou...

(Anayiz) - Alòs, monchè, sa ki konte?... Si se pa lwa yo, se kilès? Lèfini, ou pa pè pou w ap derespekte ginen yo konsa, Manwèl?

(Manwèl) - Non. M gen konsiderasyon pou moun lontan sa yo. Mwen respekte yo. Men, san yon kòk osinon san yon kabrit nou sakrifye pa kapab chanje anyen nan sitiyasyon malere nou!

(Anayiz) - Se peyi Kiba a ki fè tout lide sa yo makonnen nan tèt ou konsa?

45

(Manwèl) - Esperyans se baton avèg, Ana. Mwen konnen sa mwen wè! ...Sa ou ta di, Ana, si plenn lan ta vin chaje ak zèb ginen!

(Anayiz) - M ta di mèsi pou konsolasyon an!

(Manwèl) - Sa ou ta di si mayi yo ta pouse nan frechè?

(Anayiz) - M ta di mèsi pou benediksyon an!

(Manwèl) - Èske ou ka fèmen je w pou ou imajine bèl grap pitimi, bèl rejim bannann ki pandye, prèt pou tonbe? Èske ou wè anpil viv?

(Anayiz) - Wi, wi. M wè!

(Manwèl) - Ou wè larichès tou?

(Anayiz) - W ap fè m reve, Manwèl. Se lamizè m wè!

(Manwèl) - Sa ta kapab reyalite si te gen ki sa?

(Anayiz) - Lapli...! Pa yon ti lapli yenyen non! Gwo gout lapli!

(Manwèl) - Oswa awozay, pa vre?

(Anayiz) - Men, Sous Lorye ak Sous Fanchon sèk!

(Manwèl) - Bon, Ana. Sipoze mwen jwenn dlo a, m mennen l nan plenn lan!

(Anayiz) - Ou t ap fè sa vre, Manwèl? Wi, w ap fè l vre! Ou se nonm k ap jwenn dlo a vre! Lè sa a, ou pral mèt sous la, ou pral mache nan lawouze avèk nan mitan jaden ou yo...

Wooo! M santi fòs ak verite ou, Manwèl!

(Manwèl) - Pa mwen sèl non, Ana. Tout moun pral gen pa yo. Ya pral jwi benefis dlo a tou! Tout moun.

(Anayiz) - Ay Manwèl! Ay frè m! tout jounen moun isi yo ap file dan yo ak vye pawòl. Youn trayi lòt, wi. Fanmi an divize, wi. Gen san nan mitan nou ki koule epi san sa a poko fin chèch, non!

(Manwèl) - M konnen, Ana, mwen konnen. Men, koute byen sa m ap di ou: bagay sa a pral yon gwo travay, pou mwen mennen dlo a jouk nan Fonwouj. Fò m gen konkou tout moun sa yo. Si pa gen rekonsilyasyon li p ap posib!

Manwèl rakonte Anayiz kijan, lè l te Kiba moun yo konn mete tèt ansanm pou yo fè grèv lè achtè yo pa vle peye plis pou kann lan. Li esplike l pou ki sa fò gen tèt ansanm pou zafè dlo a, paske li menm sèl p ap kapab mennen dlo a nan plenn lan. Li esplike li fòs tèt ansanm.

(Manwèl) - Ou wè. Se pi gwo bagay sou latè lè tout moun mete tèt ansanm. Lè sa a, mizè ak enjistis vin peze nan menm balans la!

(Anayiz) - E mwen, ki sa mwen genyen pou m fè?

(Manwèl) - Lè m jwenn dlo a, m ap fè ou konnen, lè sa a, ou pral koumanse pale avèk fanm yo. Fanm se gate zafè, se sa yo di. Men, se fanm ki kapab fè nouvèl la kouri pi byen. Fanm kapab pale pou yo gaye yon koze byen. W ap di: «Kouzin entèl ou tande nouvèl la?» Kouzin ou an ap reponn: «Ki

47

nouvèl?...» W ap di li: «Se ti nonm Byenneme a, Manwèl, ki dekouvri yon sous, men li di se yon gwo traka pou l mennen sous la nan plenn lan pou kont li, se nou tout ki ta dwe mete men pou fè travay sa a ansanm. Men Kòm nou fache, pwojè a p ap posib. Sous la, li menm, l ap rete tari la. Pèsonn pa p pwofite ladan n.» Epitou, w a pale lòt koze tou. W a esplike yo kisa ki bay timoun nou yo feblès. Pou ki sa yo manke fòtifyan. Si te gen awozay, sa t ap chanje. Nou t ap gen manje. Timoun yo t ap byen grandi. Ou konprann, nègès mwen?

(Anayiz) - M konprann ou, Manwèl... Ala bon koze ou di la a...M ap obeyi ou!

(Manwèl) - Kote pa m, m responsab abitan yo. M ap pale avèk yo. M sèten y ap dakò. Toude kan yo ap mete men. Mwen deja imajine de kan sa yo bab pou bab! Youn ap di: «Frè m, èske nou se frè kounye a?» Lòt la ap reponn: «Wi, nou se frè kounye a.» «San rankin?» «San rankin.» «Tout bon?...» «Tout bon.» «Ann mete men pou konbit la a...» Ala sa pral bèl!

(Anayiz) - Ou gen malis, Manwèl. Mwen menm, mwen pa gen lespri, men, m rize wi. W a wè sa!

(Manwèl) - Hm! Ou menm, Ana, ou plen lespri. Ou vle wè prèv la? Gen yon kesyon m pral poze ou, se pou ou reponn mwen. Se yon devinèt! Ou wè lakay mwen an? Bon. Kounye a suiv mwen sou bò gòch la, rale yon liy tou drèt anba mòn nan rive jouk bò rak bwa a. Bon oke? Se yon bèl anplasman, wi. Sa ou di? Yo kapab bati yon kay la avèk yon galri, yon depo ak de fenèt. Y ap pentire kay la an ble. Lè fini, devan kay la, y ap plante flè lorye, li p ap bay ni lonbray, ni viv, men, l ap fè bèbèl devan pòt kay la a... Bon, kilès ki pral mètrès kay sa a, en?

(Anayiz) - Lage m, Manwèl. Ou fè m cho!

(Manwèl) - Kilès ki pral mètrès jaden an, mwen mande?

(Anayiz) - Lage m, Manwèl.. Lage m, mwen di... Ou fè m frèt! Li lè pou m ale. Ou pa wè li fin ta?

(Manwèl) - Ou poko reponn kesyon m nan, non? Ana? Ou pa reponn kesyon m nan, non?

(Anayiz) - O! Manwèl!

(Manwèl) - Se wi, Ana?

(Anayiz) - Se wi, cheri. Men kite m ale, tanpri souple! M ale wi, mèt!

(Manwèl) - Oke Ana!

Ana monte chwal li pou li tounen lakay li. Li santi kè l ap bat fò, l ap swe, li cho, li frèt. L ap pale pou kont li.

(Anayiz) - « Sak rive m la a? Pwoteje m tanpri, vyèj Altagras... M pa menin jan an ankò. Se tankou m wè tout lavi mwen nan pla men l!»

Pandan Anayiz ap galope konsa, toudenkou li wè yon nonm parèt vin kanpe devan l tankou pou bare chemen li.

(Anayiz)) - Kilès ki la a?

(Jèvilyen) - Aa! aa! Bonswa kouzin!

(Anayiz) - Kilès sa a. Ki moun ou ye?

(Jèvilyen) - Ou pa rekonèt mwen?

(Anayiz) - Kouman ou vle pou m rekonèt ou nan fè nwa sa a?

(Jèvilyen) - Se mwen Jèvilyen! Ou fè anpil reta nan mache a!

(Anayiz) - Mayi a pa t kapab vann, epi chwal la retif jodi a. M pa konn sak pase 1!

(Jèvilyen) - Epi ou pa pè pou lanjelis pa bare ou sou wout, kouzin?

(Anayiz) - Non chè, pa gen malfektè nan gran chimen an!

(Jèvilyen) - Yo di gen youn nan zòn lan!

(Anayiz) - Ki kote sa a?

(Jèvilyen) - Ou vle konnen?

(Anayiz) - Mè wi, di m vit non!

(Jèvilyen) - Sou bit latanyen an!

(Anayiz) - M kwè se pa vre!

(Jèvilyen) - Antouka ou pa pase la paske se pa wout ou?

(Anayiz) - Non!

(Jèvilyen) - Rizèz, ou pa wont. M sòt wè ou menm, avèk de je pa m!

(Anayiz) - Lage brid chwal la, Jèvilyen. Ou tou sou, m bezwen ale!

(Jèvilyen) - M sou? Ou vle di m pa wè 1 mete men sou ou lè sa a ou pa di 1 anyen?

(Anayiz) - Epi menm si se te vre! Ki dwa ou genyen pou ou mele nan afè m? Ki otorite ou gen sou mwen?

(Jèvilyen) - Sa regade m, fout. Nou se menm fanmi. Èske Wozana pa pwòp sè defen Miraniz; manman m?

(Anayiz) - Ou santi tafya, ou fè kè m tounen!

Rale kò w devan m!

(Jèvilyen) - Ou kondi kò ou tankou ou se yon jenès. Epi, avèk kilès? Ak yon san sal ki lage kò 1 nan peyi etranje tankou yon chen san mèt. Pitit Byenneme? Tuip! Neve Sovè a! Se pi gwo lènmi nou, wi. Anayiz, O! M ap pale avèk ou, wi, Anayiz!

(Anayiz) - Kite m an repo m non. Ou sot joure m!

(Jèvilyen) - Aa! machè se paske m te an kolè!

(Anayiz) - Alòs, w ap di m eskize?

(Jèvilyen) - M di ou: Es-ki-ze m! Bon. Anayiz tankou ou te di m lòt jou, m pa bezwen voye tonton Dorisme mande Wozana pou ou!

(Anayiz) - A! non. Sa, ditou!

(Jèvilyen) - Wa regrèt, Anayiz, se mwen ki di ou sa. Tonnè boule m, vyèj pete je m si m pa vanje m...! hm?

(Anayiz) - Sa pa fè m pè!

(Jèvilyen) - Mwen menm, m pa janm manke pawòl mwen, sonje byen sa m di ou. Nonm sa a ap regrete li te kwaze avèk Jèvilyen sou chimen 1!

(Anayiz) - Kisa ou pral fè?

(Jèvilyen) - M repete ou ankò, malè pou li. Yon jou w a va konprann pawòl sa a, lè sa a w a vap mòde ponyèt ou rive jouk nan zo!

(Anayiz) - Kite m an repo m!

Anayiz kontinye wout li sou chwal la. Li pa renmen konvèsasyon Jèvilyen an di tou...

(Anayiz) «Nonm sa a, se yon nonm ki kapab fè nenpòt zak vre, wi!»

Lè Anayiz rive lakay li, li jwenn manman 1 ap tann li byen tyak.

(Manman) - Kouman ou fè antre ta konsa, en?

Anayiz pa reponn. Manman 1 mete de men sou kote 1.

(Manman) – M ap pale ak fanm lan. Èske li tande m?

Anayiz pa reponn toujou. Frè li a antre nan koze a.

(Frè) - Sè m nan, manman m mande ou pou ki sa ou rantre ta konsa a?

Anayiz pa vle reponn kesyon an. Li pran pòz fatige li.

(Anayiz) - Si ou te konnen jan m te bouke la a. Hm!

IX. Delira enkyete

Pandanstan, lakay Manwèl, manman li ap pale avèk li depi li vini.

(Delira) - M wè w ap trakase kò ou tout lasentjounen monfi, m mande pouki. Ou pa vle reponn mwen. Se konsa ou te ye lè ou te piti. Gen defwa, ala, Bondye ou pa ta di se ayè, men tan sa a pase, ou konn vin kote m lèswa, ou di m, manman, tire kont sa a p...

Byenneme koupe li lapawòl lamenm.

(Byenneme) - Ase radote la a, fanm!

(Delira) - Se vre, se vre m ap radote, men, tan pase ak tan kounye a pa fè gwo diferans, non. Kite m pale, Byenneme. Manwèl pitit mwen, mwen konnen ou p ap fache, menm si m ap deraye. Se pitit gason m ou ye. Lè ou te pèdi nan peyi etranje, m t ap tann ou. M te gen yon gwo espwa sou lestomak mwen. Men, fòk mwen di ou, pitit mwen, ou retounen, men, kè m pa poze menm. Depi kèk nuit m ap fè move rèv!

(Manwèl) - M pa gen anyen manman. Ou pa gen anyen pou ou pè pou mwen, manman. M trè byen!

Papa Manwèl antre nan koze a.

(Manwèl) - M konnen ou pa malad, Manwèl. Mwen menm, mwen pa enkyete pou ou, gason mwen.. Delira, èske ou janm wè yon nonm gaya tankou Manwèl? Delira! O, bay ti nèg la lapè li. E mwen, si m t ap pale tou. Ou pote li nan vant ou, se vre men, kilès ki moutre 1 manyen manchèt, wou, sakle, plante? Se mwen!

Pandanstan, Delira te gen tan bay Manwèl manje. Msye fin manje vant plen. Manman 1 vire gade li :

(Delira) - Ou fin manje, pitit gason mwen?

(Manwèl) - Wi, manman. M plen jouk nan kou!

Byenneme li menm, li fin manje tou. Li pote chèz li anba pye kalbas la. Li kite Delira kontinye ap pale ak Manwèl.

(Delira) - Padon monfi, padon wi pou tout plent sa yo. M wè yo san rezon, men, m tèlman fè move san pou ou, tèt mwen ap travay nan vid. Kòmkwa, lè ou pati nan mòn yo, kè m prèt pou rete. M konn di, si m wè ou pa retounen m ap pèdi tèt mwen tout bon. Lannuit, lò m reveye, m louvri pòt chanm lan, m wè ou la, kè m anpè. Se ou sèl m gen sou latè a, avèk nonm tou dezagreyab sa yo rele Byenneme a!

(Manwèl) - Ou pa bezwen pè pou mwen, tande manman. Apre kèk tan, m a pote yon nouvèl ba ou. Kounye a m ap tann rezilta!

(Delira) - Ki nouvèl sa a? Sou ki bagay w ap pale m la a?

(Manwèl) - Li twò bonè pou m di ou li, men, sa pral yon rejwisans, w a wè!

(Delira) - Ou fè chwa yon fi? Ay Manwèl, li te lè deja pou ou te tabli ou avèk yon nègès seryèz... Di m non li non!.. Bon, ban m wè: Se Maryèl? non. Enbyen se Clèremiz... Li menm, li seryèz wi!

(Manwèl) - Ni youn, ni lòt manman. Se pa nouvèl la sa! Sa di ke...

(Delira) - Sa di ke..?

(Manwèl) - Sa kapab tout. De bagay sa yo mare tankou branch ak lyann, men, pa mande m anyen, manman, se yon sekrè ki gen anpil enpòtans!

(Delira) - Alèkile apa moun gen sekrè pou pwòp manman yo! Kouman fi sa a ye? Se pa youn nan penbèch yo, omwen?

(Manwèl) - Se yon nègès ki pa gen parèy li nan peyi a!

(Delira) - Ki koulè li? li nwa nwa, oubyen li grimèl?

(Manwèl) - Nwa nwa... Apre, ou pral mande m si l pa gen gran je, yon nen konsa konsa... ki wòtè li... si l gwo osnon si li mèg... si se yon nègès ki gen gwo très chive oubyen chive kout. Epi lè sa a ou pral gen pòtre li devan ou! Hm! Manman, ou rizèz wi!

(Delira) - Bon, bon. Lapè. M p ap mande ou koze ou ankò. M pa mele nan afè ou. Ale ou vouzan msye, m gen asyèt yo pou m al lave!

Manwèl pase men 1 nan kou manman 1. Manman li gade 1 ankò, tankou li toujou gen laperèz pou li...

(Delira) - Manwèl mwen O! M kontan ou. Men, pa bliye sa mwen di ou yo!

(Manwèl) - Mèsi, mèsi anpil manman, Konsèy ou yo va ede m anpil!

Pandan Manwèl pase men nan kou manman Byenneme ki t ap fimen pip li vire gade yo:

(Byenneme) - Ou pa ta di se de anmorèz! Toutalè a li t ap plenyen kounye a, men l ap ri. Ala yon komedi mezanmi se fanm! Yo di yo chanje tankou tan...! Men, se yon pwovèb ki pa vre, paske, m ta vle yon bèl lapli grennen apre tan sèk sa a! M pa janm wè yon sezon ki gen madichon pase sezon sa a!

X. Sou pis dlo sous la

Apresa, Manwèl sòti. Delira li menm ap lave asyèt pandan Byenneme ap fè yon ti kabicha. Simidò parèt...

(Simidò) - Byenneme, Byenneme O! M gen nouvèl pou ou!

(Byenneme) - Tripotay ou pote ban m ankò? Si janm ou yo te mache pi vit pase lang ou, ou t ap fè isit ak Pòtoprens nan yon kout je!

(Simidò) - Sa m ap di ou a se laverite. Senjilyen ak konpè Loktama pati, wi...!

(Byenneme) - Ebyen, y ap retounen, paske chwal toujou konn longè kòd li!

(Simidò) - Non, yo ale tout bon. Ezili, fanm Senjilyen an, di yo pral eseye pase fontyè a. Petèt yo kapab jwenn travay. Senjilyen kite 1 avèk sis ti zanj. Ni Charite tou...

(Byenneme) - Ou pa pral di m...

(Simidò) - Wi, se konsa, Charite ale... Epitou, gen lòt ki pral suiv li, m sèten. L ale lavil. Ou konn kouman li pral fini?... Nan peche avèk move maladi. Nou menm bò isit n ap mouri. Konsa si sa kontinye toujou... Alòs, m mande ou pou ki m ap viv ankò? Wòl mwen fini!

Delira vin tris lamenm.

(Delira) - Jezi, lavyèj. Si tout moun yo ale kilès ki pral antere vye zo nou yo?

(Byenneme) - Pa fè m nève la a non Delira. Alafen, Bondye ap bouke tande ou pou ap site non 1 pou yon wi, pou yon non!

Apresa li fin di Delira a, Byenneme vire, li di Simidò...

(Byenneme) - Fò nou anpeche moun yo ale! Tè sa a ap ban nou manje depi lontan, li bon toujou, se ti gout dlo ase li mande. Di yo lapli pral vini, fò yo gen pasyans. Non! Fòk m al pale avèk yo mwen menm! Manwèl?... Kote Manwèl la, en?

(Delira) - Li sòti!

(Byenneme) - Li toujou deyè, toujou ap kouri nan mòn yo. Ti nonm ou an Delira sanble ak yon nèg mawon, wi!

(Delira) - Se pitit ou tou wi, Byenneme!

(Byenneme) - Pa kontrarye m. Defo sa yo se kote ou li pran yo!

(Delira) - Wi, paske ou menm ou san repwòch?

(Byenneme) - M pa di sa. Paske se vante m ta va vante tèt mwen!... Genyen yon seri moun menm dèyè yo tankou kap, si yo pa rete anplas se pa fòt yo!

(Delira) - Se sa: m se yon vagabòn. M pa travay pou ou depi maten jouk aswè? Sa m fè sèlman se griyen dan, danse... Ou pa wè mizè fini ak mwen? Gade pli nan figi m non, Byenneme. Gade menm non. Bon, e si ou ta kapab wè kè mwen menm! Kanta pou ou menm, ou se yon nèg san defo, san parèy. Mèsi Bondye yon fanm tankou m, vin fanm yon nonm tankou ou!

(Byenneme) - Ase la, fanm, twòp pou zòrèy mwen. Ann ale Simidò!

(Delira) - A! Byenneme, a! Pòv malere m nan!

Manwèl menm te byen lwen nan mòn nan Pandanstan... L ap kontanple anviwonman an. Li wè zwazo k ap vole: « Ranmye sa yo... Ranmye renmen kote ki fre. Sa kapab yon chans. Karambal... Ou kwè se vre?

L ap desann mòn lan sou tout vitès... tankou yon chen ki anraje. Je 1 kole drèt kote grap zwazo yo te sòti a.

(Manwèl) - Se la a, ranmye yo te jouke a. Si m pa manti, m wè pye twonpèt tou. Men, ki kote la a pou m antre?

Manwèl koumanse ap fè chemen ak manchèt li a.

(Manwèl) - O! Apa te gen ranmye la a toujou, sou pye fig sa a!

Li pwoche...

(Manwèl) «Apa gen malanga! Plant sa yo pa viv san dlo!»

Li tonbe fouye nan tè a... Apre yon bon moman, li wè dlo...

(Manwèl) - Mèsi Bondye! M jwenn ou, benediksyon m, lavi m. A! a! a...

61

XI. Dezespwa a pi rèd

Manwèl pa t janm gen tan pou chita lakay li; Paske chak jou li te toujou deyò. Sa te mete anpil doutans nan tèt Delira. Delira pale sa ak Byenneme.

(Byenneme) - Delira, ban m pran yon ti mòso tizon, pou m limen pip la!

(Delira) - Ou pa remake Manwèl depi lòt jou? Se tankou li te tonbe nan yon nich foumi. Li isit, li lòt bò. Lespri li gen lè pa bon?

(Byenneme) - Sa ou vle pou m di ou. Ou pa wè msye se yon nonm mouvmante. Se jenn poulen li ye. Ba 1 libète 1!

(Delira) - Se ou ki t ap plenyen lòt jou, paske 1 te toujou deyò!

(Byenneme) - Mwen menm? Kilè sa a? Ou vle nan kont avèk mwen?... Delira o...?

(Delira) - Pèl li t al achte nan bouk la ayè a, sa pou li fè 1? Maten an, li pati bonè nan mòn nan. Lè 1 tounen, kò 1 plen ak yon tè blan. Alòs, pouki?

(Byenneme) - Men, kouman pou m fè reponn ou? Ou se yon fanm anraje, Delira. Tout lasentjounen w ap anbete tèt moun ak yon pakèt keksyon. Lè ou te jenn fi ou pa t janm vle pale. Se anba redi pou yo te resi wete yon mo nan bouch ou!

Byenneme al chita... Li kontinye ap pale.

(Byenneme) - Lè yon nonm an devenn, menm lèt kaye kase tèt li. Bèf la anpetre nan kòd, yon janm li foule. Dòmeyis trete 1 pou twa pyas, pye a poko bon. Lè fini, men Manwela a, li kondi kò 1 tankou moun ki gen malkadi... Kilè pou... Padon Bondye! 0...Apa m ap depale! Tonè, kilè pou tèt mwen poze!

Se konsa Destin, yon vwazin, vin rann yo visit. Manmzèl se yon madanm byen gra, men lajè 1. Byenneme gade 1 epi li di nan kè 1:

(Byenneme) - «Bon! Ak mizè sa a, kouman 1 fè gra konsa a?»

(Destin) - M pase vin di nou yon ti bonjou. Kòmè Delira, Konpè Byenneme! Bonjou, wi!

Byenneme reponn li anvan apresa Delira pale.

(Byenneme) - Bonjou chè!

(Delira) - Kouman lavi a ye, Destin?

(Destin) - Ay! Sò mwen, penitans la ap kontinye!

(Delira) -Adye, sè.

Se konsa Destin anonse yo nouvèl la:

(Destin) - Mwen menm, m ap pati, wi!

Delira sezi.

(Delira) - Ou pa pral di m...!

(Destin) - Wi, machè. Se konsa! Mwen menm ak Jwachen n ap kite kanton an. Nou gen yon fanmi nou bò Koray. Ya charite nou yon moso tè jis pou nou bati yon ti kay ak pou nou fè yon ti jaden...

Destin pete kriye.

(Destin) - O! Lwa ginen m yo, nou pa mezire travay mwen ak mizè mwen. Se pou rezon sa a m ap mouri san nou pa jwenn sekou. Èske se jistis? An verite reponn mwen non, èske se jistis?

Delira fè yon soupi epi li di:

(Delira) - Pou latousen an, m te netwaye tonm mò m yo. Yo tout se isit yo tere, y ap tann mwen. Eta m ye la a m pa kapab pati, mwen menm!

(Destin) - M gen de gason nan simityè isit la, Delira!

(Delira) - Pran kouraj, Destin. W a tounen. Lè sa a w a tounen avèk lapli ak bèl rekòt!

(Destin) - Hm! Maten an te gen yon koulèv nan fetay kay la. Jwachen moute sou tab la, li sote tèt li ak yon sèl kout sèpèt. Men, m di Jwachen m ta swete sa a pa pote nou malè! M prale nan fen senmenn lan. N a wè anvan sa, tande!... M te kontre Manwèl. Ou gen chans wi, kouzin. De gason pa m yo menm anba tè, ou pa ka fè anyen kont malè. Alòs, fò nou reziye n ak lavi a!

Kou Destin ale, Byenneme leve li frape pye 1 atè.

(Byenneme) - Ala moun engra. Tè sa a ban nou manje pandan kèk ane. Men kounye a, y ap kite 1. Y ap pran pòz kriye yo, pito nou lave konsyans nou ki makòmen ak remò. Bann ipokrit! Nou menm, n ap rete. Pa vre Delira? Pa vre vye fanm mwen? N ap rete, nou menm. Nou p ap fè yon pa.

(Delira) - Ki kote pou n ta ale?

XII. Sous dlo a

Depi de jou, Manwèl t ap chache wè ak Anayiz. Li te resi rankontre avè 1 nan gran chimen an. Yo pran randevou pou devan kay konpè Loriston, anba pye tamaren an. Anayiz te vini pou ya 1 wè kote dlo a ye.

(Anayiz) - Manwèl, ou kwè ap gen dlo pou tout moun?

Manwèl fè jès ak men li pou li montre Anayiz dlo a rive nan senti li.

(Manwèl) - Lè m fouye tou a, dlo a rive banm la! Se pa yon tou sèlman, non. Se sou tout longè platfòm nan wi mwen fouye. Se tankou yon gwo basen! Si m pa t rebouche tou sa a, m kwè dlo a t ap debède, wi!

(Anayiz) - Ou fò wi, Manwèl!

(Manwèl) - Men non! M gen konfyans!

(Anayiz) - Konfyans nan ki sa?

(Manwèl) - Konfyans nan lavi, Ana. Konfyans pou m lite pou m pa mouri, cheri!

(Anayiz) - Sa ou sot di la a, se tankou pou zafè dlo a tou. Se pou moun fouye fon pou yo jwenn sans pawòl ou yo!

(Manwèl) - Tout moun gen pou yo mouri kite tè sa a yon

67

jou, Ana. Men, lavi a se yon fil ki p ap janm kase, ni ki p ap janm pèdi, moun ki ap fèt ap ranplase moun ki mouri. Si chak moun fè yon travay itil sou tè a se tankou chak moun kontribiye yon ne nan fil lavi a. Ne a ranfèse fil la!

(Anayiz) - Jezi, Mari lavyèj, ou se yon nèg save. Tout lide sa yo se nan tèt ou yo sòti?

(Manwèl) - A! Aa! Aaa!

(Anayiz) - Apre tout gwo refleksyon sa yo, ou pa konn gen mal tèt pafwa?

(Manwèl) - Ou vle pase m nan betiz, en, Ana? Manwèl pran bra 1, epi li apiye tèt li sou Ana.

(Manwèl) - Ana cheri!

(Anayiz) - O! Manwèl! Ann ale wè sous la, non!

(Manwèl) - Menwi!

Yo rive sou tèt bit la, yo domine tout plenn lan anba pye yo.

(Manwèl) - Ou wè mòn sa a? Non, lòt la, sak ble fonse a... Se la. Tann, m pral gade si pa gen moun ki t ap suiv nou!

(Anayiz) - Ann mache vit Manwèl. M pè pou moun pa wè m!

Men, li pa di Manwèl si 1 te kontre avèk Jèvilyen. Li annik sonje sa Jèvilyen te di 1 la, li yon jan kagou. Li di nan kè 1: «Jèvilyen sa a se yon chen!» Li pe, li pa di anyen.

(Manwèl) - Ou pa pale, nègès mwen. Ou tankou yon moun ki lwen, byen lwen!

(Anayiz) - M ta renmen vire gade kounye a. W a di mwen santi gen moun k ap suiv mwen dèyè!

Manwèl vire gade dèyè, li pa wè pèsonn.

(Manwèl) - Ou pa bezwen pè, Ana. Yon lè, nou p ap nan kache ankò. Tout moun pral konnen pou kilès m pral bati kay twa pyès la. Mèb yo se mwen ki pral fè yo. Gen bèl pye kajou bò isit la. M se bòs ebenis tou! M ap fè yon tonnèl tou, konsa n ap kapab plante rezen. Sa ou di? Avèk enpe ma kafe nan rasinl, rezen an ap donnen byen... l ap bay bon rezen, wi.

(Anayiz) - Tout sa ou vle, m vle l tou!

Yo mache kont yo. Epi, you lòt ti moman.

(Manwèl) - Nou rive, wi. Ban m men ou, paske moute a pa fasil menm! Gen yon ti falèz nou pral desann. Apresa, nou rive! Atansyon... Ou mèt vole! Hm!

(Anayiz) - O! La a fè fre, Manwèl. M santi yon bon ti van! Ou pa tande okenn bri, ou pa ta kwè gen solèy, deyò a. Isit la menm se ti gout pa ti gout solèy la ap antre. Se yon paradi!

(Manwèl) - Wi, tankou premye paradi a. Kote te gen yon fi ak yon gason tankou nou, ak yon sous dlo k ap koule nan pye yo. Epi yo antre ladan l, yo benyen! Vin non!

Lè yo rive kote dlo a ye a youn gade lòt. Ana mande Manwèl:

(Anayiz) - Se pye bwa sa a, ki gadyen dlo a?

(Manwèl) - Menwi!

(Anayiz) - M pa wè tèt li non?

(Manwèl) - Tèt li nan syèl la!

(Anayiz) - Rasin li yo tankou pat!

(Manwèl) - Se pou 1 kapab kenbe dlo a pi byen! Manwèl bese, l ap fouye tè a. Dlo a djayi.

(Manwèl) - Gade!

(Anayiz) - O! Manwèl! M wete chapo devan ou, mèt dlo!

(Manwèl) - E... la! Gade ankò. Genyen dlo toupatou!

(Anayiz) - M wè dlo a kounye a tout bon! Ay Manwèl!

(Manwèl) - Ana!

Yo woule atè a, youn nan bra lòt. Yo kontan. Se fèt.

(Anayiz) - Manwèl, nonm mwen!

(Manwèl) - Ay, ti chou mwen!

Se konsa, pou premye fwa, yo fè youn bò dlo a.

XIII. Tèt ansanm

Kèk jou apre, yon maten, lakay Manwèl. Delira ap pale ak Byenneme.

(Delira) - Solèy la leve, Byenneme!

(Byenneme) - Li sou mòn nan!

(Delira) - Manwèl te di li pral chache Dorelyen!

(Byenneme) - Se sa li te di!

(Delira) - Ou pa kapab di m sa k ap pase, Byenneme?

(Byenneme) - M pa konnen, non!

(Delira) - Gen lontan konsa depi m pa tande yon bèl ti pawòl nan bouch ou!

(Byenneme) - Doulè yo k ap fini avè m konsa wi. Si ou ta fwote m ak yon ti luil, li ta bon. Se nan jwenti m doulè a kenbe m!

(Delira) - M ap chofe luil la ak yon ti sèl. Sa pral manie kote k ap fè ou mal la!

(Byenneme) - Delira, o?

(Delira) - Wi, Byenneme!

(Byenneme) - M pral di ou yon bagay!

(Delira) - M ap koute ou wi, Byenneme!

(Byenneme) - Ou se yon bon fanm, wi!.. M gen yon lòt bagay pou m di ou tou, fanm! M se yon nonm dezagreyab, wi!

(Delira) - Non, Byenneme, ou se yon bon moun men, ou gen jou ou. Se lamizè ki fè sa. Depi ki tan m avèk ou, tout tribilasyon, tout move pasaj ou avèk mwen, ou toujou ap pwoteje m, ou wè!

(Byenneme) - M di ou m se yon nonm dezagreyab!

(Delira) - M konn fon kè ou. Pa gen pi bon moun pase ou, Byenneme!

(Byenneme) - Men, ou menm Delira, ou renmen kontrarye moun. Ou gen tèt di konsa!

(Delira) - Oke, Byenneme, m dakò!

(Byenneme) - Ou dakò kisa?

(Delira) - Ou se yon nonm dezagreyab!

(Byenme) - Mwen menm?

(Delira) - Men...! Se ou menm ki di 1!

(Byenneme) -Ou pa bezwen repete 1. Byenneme se yon nonm dezagreyab, Byenneme se yon nonm dezagreyab... Epi apre?... Tèt ou di vre, wi!

Se konsa Manwèl ak Dorelyen vin ap parèt.

(Dorelyen) - Li jwenn li vre! Wououou!

Byenneme vire gade Dorelyen epi li souke tèt li...»Sa l ap di la a? Li gen lè fou. Men kounye a l ap pyafe tankou moun k ap mache sou pikan. Granm maten sa a, li gen tan sou!» Dorelyen menm, fèk kare pyafe.

(Dorelyen) - Ay! Se vre, li jwenn li!

Lè li rive devan Byenneme, li salye l.

(Dorelyen) – M ap di ou bonjou, wi, chèf!

(Byenneme) - Adye monfi! Fòk ou pa abize ou nan aikòl, non. Yon ti vè pou chofe lestonmak ou nan maten, m pa di non, men, pa plis!

(Dorelyen) - Poutan, m pa bwè gout kleren, Byenneme. Delira, kouman lavi a ye? Aa Kòmè m, lavi a pral chanje depi jodi a menm!

Msye vire gade Manwèl, li di l..

(Dorelyen) - Pale non, chèf, esplike yo bagay la, non.

Manwèl pran pale.

(Manwèl) - Se pou zafè dlo a! Depi lè m te tounen Fonwouj la, m t ap chache l! Enbyen, m jwenn li. Yon gwo sous ki kapab wouze tout plenn lan. Chak moun ap jwenn kantite yo vle!

Sezisman fè Byenneme vole nan kolèt Manwèl.

73

(Byenneme) - Pitit mwen! Ou fè, ou fè jouk ou jwenn dlo a vre? Monfi, papa ou di ou respè. Ou se yon gran nèg. Wi, chapo ba devan ou, Manwèl Jan Jozèf. Delira, ou tande? Gason m lan jwenn yon dlo ak pwòp men 1. M rekonèt san m, m rekonèt ras mwen. Ou se yon nèg lespri ki p ap kabicha!

Manwèl pwoche manman 1, li pale avè 1 :

(Manwèl) - Ou kontan, manman?

(Delira) - M kontan pou nou, o, wi. Mwen kontan pou tè a, pou plant yo tou!

Byenneme poze Manwèl yon bann kesyon sou dlo a. Ki kote li ye, èske l ap rive jouk nan plenn lan.

(Manwèl) - Se yon dlo ki konsekan, papa. Se pou ou ta wè kote li ye a. Yon gwo teras blanch tankou lakrè. Dlo a kapab antre ladan 1 fasil, men anba tè a di, li blije rete la, pètèt pou kont li. Men sa nou gen pou nou fè! Se pou n plante de ranje poto byen sere pou kenbe tè a. Apre sa, n ap trase yon kannal prensipal k ap travèse plenn lan nèt. Chak jaden pou gen kannal pa li pou dlo a kapab rantre pou wouze 1. Kou gwo kannal la avèk lòt kannal yo fini, n ap louvri gwo basen an. Men, li ta bon pou nou ta moute yon sendika avèk konfyans tout moun yo, pou distribisyon dlo a.

Nou deja koumanse wè se yon gwo travay. Pa vre?

Dorelyen gen tan di:

(Dorelyen) - Se ou menm k ap chèf sendika a. Nou deja vote pou ou!

(Byenneme) - Ou tande yo, Delira. Yo gen tan kalkile tout bagay deja, epi sa Dorelyen di a, se vre!.. Men, ou di tout moun... Ou konte lezòt yo tou?

(Manwèl) – M ap pale nou klè, m ap fè nou wè verite. Èske n ap koute m? En? Konpè Dorelyen ak manman m, n ap koute? Bon, konbyen gason vanyan nou genyen an tou pami moun nou byen avèk yo? Tann, ban m wè... Katòz... Lezòt yo: Doriska ak patizan li yo prèske gen katòz tou... Papa, manman, konsidere byen epi ou menm konpè Dorelyen reflechi tou. Nou menm sèl nou p ap janm fin rive fè travay sa a san konkou. Poto pou koupe, pou redi pote, pou plante... Pou fouye kannal la rive jouk nan plenn lan, pou fè chimen pou dlo a pase... Epi, dlo pa gen mèt, yo pa apante sa, ni yo pa ekri sa sou papye, lakay notè. Se byen latè. Lè fini ki dwa nou Aral genyen pou nou anpeche lèzòt yo sèvi ak dlo nou?

Malgre sa, Byenneme pran kontwòl tèt li, li di Manwèl:

(Byenneme) - Lènmi nou yo pa genyen dwa pou yo sèvi nan dlo sa a paske se ou menm menm ki jwenn li! Pale m kare, di m sa ou vle fè a!

(Manwèl) - M pral jwenn lèzòt yo, pou m di yo, mwen jwenn yon sous ki ka wouze tout jaden ki nan plenn lan. Fòk gen konkou tout moun pou mennen dlo a jouk isit. Sa yon men pa kapab fè, de ka fè 1. Annou bay lanmen, paske

75

ki avantaj nou genyen pou nou lènmi?... Gade timoun yo, gade plant yo, lanmò sou yo, lamizè ap fini ak Fonwouj. San te koule nan mitan nou vre. Men, dlo sa a pral lave san sa a. Sèl jan pou nou sove tèt nou, se pou nou tout fè youn.

Byenneme mande anraje lè li tande sa Manwèl di a.

(Byenneme) - Pe dyòl ou Manwèl, radòtè. M pa vle tande vwa ou la a. Si ou kontinye, m ap tann po ou ak kout baton!

(Manwèl) - Ou menm manman, sa ou di nan tout bagay sa yo?

(Delira) - A! pitit mwen, ou voye m chwazi ant ou menm ak Byenneme!

(Manwèl) - Non! Se ant bon konprann ak move konprann. Se yon keksyon pou lavi nou osinon pou lanmò nou!

Delira reflechi, li di:

(Delira) - Doriska ak Sovè deja tounen sann ak pousyè, depi dikdantan. Tan sa a pase. Lavi a ap kontinye. M pran dèy pou Sovè paske li te bò frè m, epi li te yon nèg debyen. Mwen menm Delira, m pa janm gen rayisman nan kè m. Bondye tande m!

(Manwèl) - E ou menm Dorelyen?

(Dorelyen) - M avèk ou, chèf. Se pou moun yo byen ankò. Se sèl jan pou nou sòti nan sitiyasyon sa a!

Delira santi Dorelyen fè kò ak Manwèl. Li mande Manwèl:

(Delira) - E lot moun yo?

(Manwèl) - Moun defen Doriska yo?

(Delira) - Wi pitit mwen!

(Manwèl) - «Ou di «lòt moun yo» tankou yo te yon bann denmon. Enben manman, yon jou p ap gen ni lòt moun yo, ni nou menm, men sèlman bon abitan pou konbit dlo a!

(Delira) - M pa konnen kouman ou pral fè, Manwèl, men, pran prekosyon ou. Avanyè oswa, m tande yon bri nan lakou a, m leve, m ale louvri pòt la. Te gen bèl lalin, m wè do yon moun ki prale. M sèten se Jèvilyen!

Manwèl pa enkyete menm. Okontrè.

(Manwèl) - M sèten, li te sou, li dwe te pèdi chimen kay li!

Dorelyen di:

(Dorelyen) - Manwèl gen rezon. Jèvilyen sa a se yon nèg anraje, tafya fè l pèdi tèt li, enpi l al tonbe nan lakou ou a tankou vòlè poul! M pral bay nouvèl dlo a. Men, pou bagay Rekonsilyasyon an, se ou ki pou pale avèk yo, chèf!

Apre li fin pale a, Dorelyen ap mache pou li ale.

Manwèl reponn li :

(Manwèl) - Oke! M a wè yo pita! Apresa, Manwèl vire, li di manman l...

(Manwèl) - Manman, lòt jou, ou te vle konnen non fi a, pa vre? Enben m ap di ou non l koulye a. Se Anayiz li rele!

(Delira) - Ti nègès Wozana a?

(Manwèl) - Se li menm menm, manman. Gen lè ou boulvèse manman?

(Delira) - Se pa bagay ki posib, Manwèl. Moun sa yo se lènmi nou...!

(Manwèl) - Nan kèk jou ou p ap janm tande pale afè lènmi nan Fonwouj ankò!

(Delira) - E Byenneme? Ou kwè l ap dakò pou sa? Papa ou pa sanble li dakò, non!

(Manwèl) - M sèten li pral fè kòlè. Men, se li ki pral pote lèt demann lan bay Wozana. Denmen m pral achte papye ak twal swa vèt la. Sa se koutim moun debyen. Sou kote legliz nan bouk la, gen yon kay an tòl, gen yon nèg ki rele msye Pòlma ki pral ekri lèt sa a pou mwen!

(Delira) - A Manwèl, ou chwazi yon bèl fi wi. Epi li seryèz tou, wi. Anvan bagay Doriska ak Sovè a, li te konn ede m pote kalbas mwen yo. Li te konn rele m tantin. Se yon bon ti nègès, wi!

(Manwèl) - Mèsi anpil manman!

Pandanstan, Byenneme ki te deplase, rete sou devan baryè a. L ap kalkile. Li pa renmen afè rekonsilyasyon ak lòt moun yo ditou. Li pale ak Delira:

78

(Byenneme) - Delira, lè w a fin konplote ak ti nonm ou an, ale achte tabak pou mwen kay Florantin, tande!

(Delira) - Wi, Byenneme! Wi, papa, m prale kounye a!

XIV Koze a gaye

Anvan midi, tout moun Fonwouj te gen tan konn nouvèl la. Anayiz te fè travay Manwèl te ba li fè a. Te gen kèk moun ki te renka kò yo.

(Sentaniz) - M deja ap woule chaplè lamizè ak sèt ti lezanj nan menm epi w ap vin di m...

(Anayiz) - Men non, makomè, tande....

Gen lòt menm ki te wè se te yon delivrans pou yo.

(Asefi) - Si se pou sa, m ap fè nenpòt bagay!

(Maryàn) - Se vre, m ta kontan anpil!

(Jezila) - Jeneral Manwèl, mwen wete chapo devan ou, chapo ba, oooo!

Plizyè timoun nan bouk la vin reyini ap tande konvèsasyon Manwèl ap fè ak yon nonm. Granmoun yo ki bezwen pale ak Manwèl kwape timoun yo.

(Granmoun) - Pati fout. Ala kote ou wè timoun malelve, papa! Kite granmoun pale ak Manwèl...Chapo ba o o o! Chapo ba ooooo! Jeneral Manwèl!

Pandanstan, bò kay Larivwa a. Gen yon gwoup mesye ki chita, y ap bwè, yap pale sou koze dlo a ki gaye a.

(Janchal) - Gen lè yo pral gen dlo tout bon vre! Se pou nou ta konnen si nouvel sa a vre, wi!

(Siprilan) - Lè yon moun fè manti se tankou se yon kòb li prete moun alenterè; Fòk manti a rapòte 1. Ki enterè Manwèl ta genyen pou 1 ap fè manti?

(Janchal) - Kòmkwa dlo a ap kapab wouze jaden yo!

(Siprilan) - Nou menm lezòt yo, n ap rete la ap gade yo ak bèk nou tou chèch!

Jèvilyen menm pa di anyen nan pawòl la.

(Jozafa) - Vye moun sa yo fèt ak tout chans yo. Men fout...

(Siprilan) - Se pa la pawòl la ye, Jozafa!

(Jozafa) - M fout pito kite Fonwouj pase pou m rete ap gade yo ap jwi lavi yo, pandan nou menm n ap manje mizè!

(Janchal) - Ou va 1 mande charite nan gran chimen an de pòt an pòt! Lontan jaden m nan te konn ban m trant sak mayi. Pou patat menm, te gen an kantite jouk m te ka angrese kochon ak rès la. Tè a toujou la, se dlo ase li bezwen. Depi ki tan lapli pa tonbe!

(Siprilan) - Pa gen anyen nou ka fè!

Jèvilyen leve kanpe, je 1 vin klere tankou zèklè.

(Jèvilyen) - Èske se moun nou ye, oubyen nou se chen? Nou chita la a tankou fout, yon pakèt vye fanm k ap woule chaple lamizè. Nou pa fout gason vanyan? Bann kapon!

Nerestan leve li di:

(Nerestan) - Non, Jèvilyen. Ou pa gen dwa di sa!

(Jèvilyen) - Chita! M pral di nou ki sa pou nou fè! Nou pral pran dlo a avèk fòs ponyèt nou!

(Jozafa) - Se sa gason!

(Dyejis) - Non, non! Sa pa kapab fèt!

(Janchal) - Hm!

(Dyejis) - M pa renmen sa a!

(Janchal) - M pa dakò, mwen menm!

(Dyejis) - M ap pale nou, men fò nou koute m byen pou nou sa evite yon malè. Ou menm Jèvilyen san ou twò cho. Kalme w. Se pa yon repwòch m ap fè ou, non. W ap di ou pral pran dlo a ak fòs ou, men lafòs se lalwa ti nèg!

(Jozafa) - M gen yon nouvèl pou nou. Li gen tout enpòtans li. Anayiz te vin wè madanm mwen pa pita maten an!

(Jèvilyen) - A! A! men, nou gen lè pa wè Anayiz nan konfyolo ak Manwèl!

(Ogis) - Atansyon Jèvilyen, apa w ap nonmen non sè m nan!

(Jèvilyen) - Fèmen dyòl ou, enbesil!

(Ogis) - Kouzen!

Larivwa mete ola. Li di:

(Larivwa) - O! Èske nou fout fou! Bann nèg san respè. Nou vle fè san koule lakay mwen an. Alòs, nou pa respekte chive blanch mwen yo!

(Ogis) - Eskize m wi, tonton Larivwa. Se li menm k ap joure sè m, wi!

(Jèvilyen) - M ap di laverite, mwen. Men si verite a klè se pou aksepte li byen klè! Ou menm Jèvilyen, mete ou la. Jil menm, chita isit!

Epi misye vire, li di lezòt yo:

(Jèvilyen) - Nou tande byen ak zòrèy nou. Ki lide nou fè sou sa?

(Jozafa) - Frè m yo, yo vle achte nou, yo vle twoke konsyans nou pou yon ti gout dlo!

(Larivwa) - Lapè Jèvilyen, kite lezòt yo di yon bagay tou! Bon, nou pa prese. Fò tèt nou anplas pou nou kapab pran yon bon desizyon. Denmen n a reyini ankò, menm lè a!

Lè yo prale, konpè Janchal di:

(Janchal) - Konpè Jèvilyen, m gen yon bagay pou m di ou!

(Jèvilyen) - Lanmèd!

* * *

Byenneme menm, bò pa 1 rete sou pozisyon 1. Li frèt frèt ak Manwèl. Nan denmen apremidi msye ap pale ak madanm li. Li pare pou li pati sou chwal li a.

84

(Byenneme) - Èske 1 byen sangle, en?

(Delira) - Wi, papa! Wi, vye nonm mwen.

(Byenneme) - Bon! M prale! Al detache bèf la mennen ban mwen!

(Delira) - W ap rive kou lanjelis sonnen! Fè bon vwayaj wi, papa! Fè bon wout, vye nonm mwen.

(Byenneme) - Mèsi, fanm!

Delira souke tèt li lè li wè Byenneme ale. Li pwoche Manwèl epi li di 1:

(Delira) - « Byenneme sa a gen tèt di. Ou ta kapab ale vann bèt la pou li. Kounye a, fòk 1 al dòmi anba yon galri kou li rive Bedèt! Ala seren an p ap bon pou li menm. San konte tout wout sa a pou 1 tounen fè ankò demen apremidi! Adye!

Lè Manwèl fin tande manman 1, li di nan kè 1: «M byen kontan, m pa ale, paske pita fòk m ale nan reyinyon kay Larivwa a!» Manman 1 kontinye pale.

(Delira) - Granm maten an, m te kontre ak Anayiz. Gen lè se Mawotyè li ta pral lave paske li te avèk yon gwo kivèt rad sou tèt li. Li di m: «Bonjou manman!»

(Manwèl) - Mm!

(Delira) - M reponn li : Bonjou, bèlfi m! Li ri ban mwen. Li gen bèl dan blan, po 1 fen tankou lasi, li gen bèl ti zye ak bèl très chive. Mwen wè yon très ki te depase mouchwa nan tèt li a. Se yon bèl ti nègès wi, Manwèl! Bèl figi pa di bon mennaj, se vre. Bon mès ak levasyon se sa k enpòtan. Jenn fi alèkile yo pa respekte prensip granmoun lontan. Se tankou yo fwote piman anba plan pye yo, yo pito al fè kizinyèz kay milat rich lavil yo!

***

Pandanstan, Anayiz ap lave rad bò larivyè a menm. L ap reflechi.

(Anayiz) - «Manwèl chè, se pou ou ta sòti jouk Kiba pou ta jwenn mwen! M sonje avanyè swa lè ou t ap karese m lan! Ala yon nonm, en!»

Kouzin Anayiz la ki t ap lave bò kote 1, wè Anayiz ap reflechi. Kouzin lan, Wozelya, se manman kat pitit deja.

(Wozelya) - Apa ou p ap lave ankò, Anayiz. Ou gen lè fatige?

(Anayiz) - Non, kouzin!

(Wozelya) - Ou fèt pou ou te marye deja, wi, kouzin!

(Anayiz) - O! m gen kont tan devan mwen!

XV. Tèt ansanm pa posib

Solèy te fin kouche, li te fè nwa kou Tank. Yon ti moso lalin tankou yon tranch melon t ap bay payèt nan syèl la. Nan Fonwouj, se lè pou tout moun poze kò yo. Tout bouk la fè nwa, ankenn kote pa gen limyè. Sèl kay Larivwa. Yon ti lamp tèt bòbèch limen sou yon tab anba tonnèl la. Kèk moun deja la. Manwèl prale nan reyinyon an tou. Men, l ap tann. «M kwè yo tout dwe deja la!» li di nan kè 1.»

Li tande manman 1 k ap rele 1 nan pòt la men, li pa reponn. Li fè tankou 1 ap dòmi.

(Delira) - Manwèl, w ap dòmi?

You lòt moman, msye tyeke pou li wè si je manman 1 klè.

(Byenneme) - Manman?!

Li pa tande vwa manman 1 reponn. L ap dòmi. «Fòk mwen fè vit pou m rive ale...»

Manwèl pase bò kay Anayiz la. «Bonswa nègès mwen» li di nan kè 1. Men, Anayiz ap dòmi, alè sa a. Msye kontinye wout la joustan li rive kay Larivwa a.

(Manwèl) - Onè!

(Larivwa) - Respè!

(Manwèl) - M di bonswa, wi!

(Larivwa) - Nou reponn ou Manwèl! Larivwa leve bay Manwèl chèz.

(Manwèl) - O! non. M gen respè pou chive blanch ou yo, Ton Larivwa, m ap rete kanpe!

Larivwa rann li kont Manwèl gen bon lizay. Apre de mo li di pou entwodui Manwèl, li ba msye lapawòl.

Manwèl pran pale:

(Manwèl) - Frè m yo, m vini la a pou kont lan fini, pou nou sa byen. Fonwouj pa ka rete divize konsa...

Mesye yo reyaji lamenm. Yo reponn li :

(Dyejis) - Ebyen, pale. N ap tande ou!

(Manwèl) - M fè sèman sou tèt vye manman m nan, sa nou tande a se sa. M jwenn yon sous!

(Nerestan) - Manti!

(Manwèl) - Konpè Nerestan, m pa konn bay manti, non. Sonje lè nou te piti, yo te akize ou poutèt mayi ou t al vòlè nan jaden Dorismon an. Lè sa a mwen te pote tèt mwen ale pou ou. Papa m te rache po do m ak kout frèt. Ou sonje?

(Nerestan) - Se vre, wi, Manwèl! Ou pa manje manje bliye, ou menm! Mayi sa yo, m te vòlè yo pou m te kapab boukannen nan bwa ak Jozafa ak Pyerilis. Epòk sa a, nou te konn viv.

Gen yon nèg ki te chita kote Larivwa a. Li ri. Nerestan kwape 1.

(Nerestan) - Sispann griyen dan ou la a!

Pandanstan, gen yon lòt nèg ki di nan kè 1:

(Dyejis) - Manwèl sa a se yon ti nonm entelijan, wi. Gade jan li eskive move pa yo! Se yon nonm pou moun pè.

(Manwèl) - M te pati pou peyi etranje, lè m tounen, mwen jwenn Fonwouj sakaje ak sechrès, plonje nan mizè! Mwen jwenn Fonwouj divize. Moun yo an dezakò! Sèl jan pou nou sòti nan sechrès sa a, ak nan mizè sa a, mesye, se pou nou fini ak chen manje chen sa a!

Men, se pa tout moun ki pare pou rekonsilyasyon sa a.

(Jèvilyen) - Depi san koule, nanpwen fini nan sa. Epi tou, se Doriska papa m, wi, ki mouri a. Ou bliye? Tuip!

(Manwèl) - Sovè mouri nan prizon tou. Revanj lan fèt, Jèvilyen!

(Jèvilyen) - Non! Se pa mwen ki touye li ak pwòp men mwen!

«Tèt li di,» Manwèl di nan kè 1. Erezman, se pa tout mesye yo ki dakò ak Jèvilyen. Genyen ki ta renmen pou kont lan fini, pou rekonsilyasyon an fèt. Yon nèg ki pa dakò ak Jèvilyen gade msye ak yon ton repwochan:

(Siprilan) - Konpè Jèvilyen, monchè!

(Jèvilyen) - Pa rele m konpè. M pa anyen pou ou!

Manwèl reyaji lamenm pou li mete ola:

(Manwèl) - Tout moun se moun, Jèvilyen. Nou tout fè yon sèl fanmi. Se poutèt sa youn rele lòt: frè, konpè, kouzen osnon bòfrè. Youn bezwen lòt. Sous mwen jwenn lan mande konkou tout moun nan Fonwouj. Alòs, fò nou pa fè rondonmon. Se lavi k ap koumande, men kou lavi koumande nou, se pou nou reponn: prezan!

(Jozafa) - Ou byen pale, Manwèl!

Jozafa ak detwa lòt nèg leve...

(Nerestan) - Prezan, mwen dakò!

(Siprilan) - Mwen tou!

(Janchal) - Èske tout moun ap jwenn dlo? Paske, lontan jaden m nan te konn ban m trant sak mayi byen konte!

(Manwèl) - Chak moun ap jwenn pou bezwen pa yo!

Jèvilyen di nonm ki sot pale a:

(Jèvilyen) - Janchal, ou vann konsyans ou pou yon ti gout dlo!

Nonm lan reponn li :

(Janchal) - Si se te pou kleren ou ta vann pa ou byen pwòp!

Larivwa di konsa:

(Larivwa) - Ala nèg anmègdan, o, se Jèvilyen sa a!

90

Jèvilyen fache lamenm.

(Jèvilyen) - M wè nou tout kont mwen, pa vre? Mèsi, Larivwa. M wè ou defann fanmi ou byen. Si m pa t gen respè pou ou, m ta di ou sa m panse de ou ak tout bann salopri sa yo ki la a!

(Larivwa) - Ou pa kapab reflechi yon ti moman? Èske larezon pa kapab antre nan sèvèl ou, Jèvilyen?

(Jèvilyen) - Non fout! M pa vle!

Jèvilyen avanse sou Manwèl li di 1...

(Jèvilyen) - Ou menm, ou kwaze de fwa sou menm chimen ak Jèvilyen Jèvilis, yon sèl fwa te deja twòp!

Epi li vire do 1 san 1 pa di orevwa chen. Manwèl pa di anyen, li annik souke tèt li. Lòt mesye yo fè kòmantè pa yo pou montre yo pa dakò ak Jèvilyen:

(Janchal) - Gen lè gen yon move lespri k ap toumante nonm Jèvilyen sa a!

(Ogis) - Se yon nwizans nonm sa a ye!

Larivwa di Manwèl:

(Larivwa) - Manwèl, ou vini avèk lonè ou, nou te tande ou byen. Men, li twò bonè pou nou reponn ou wi ou non sou sa ou sot di a. Demen, si Bondye kontan, m a pote repons lan ba ou mwen menm!

Mesye yo ki te nan reyinyon an gen tan bay sipò yo kareman.

(Janchal) - M reponn prezan, mwen menm!

(Siprilan) - M deja dakò, mwen menm!

(Jozafa) - M pa kont!

(Ogis) - Mwen nonplis!

Manwèl santi gen anpil nan mesye yo ki sipòte pwojè a deja. Larivwa di Manwèl:

(Larivwa) - Ou wè, genyen ki poko deside. Nou genyen pou nou egzamine zafè a antre nou. Mèsi pou vizit la wi, frè!

(Manwèl) - Ou di yon bon mo, Larivwa. Mwen tou, m ba nou mèsi m, frè m yo. Si Jèvilyen ta retounen isit la, di 1 pou mwen silvouplè, m pa gen move santiman, mwen menm. M ap tann men pa 1 pou rekonsilyasyon an!

Nerestan leve, epi li mache sou Manwèl, li di 1:

(Nerestan) - Konpè Manwèl, m te bliye afè istwa mayi sa a. Nestò Nerestan pa engra grasadye! Annou bay lanmen!

(Manwèl) - Annou bay lanmen, Nerestan!

Larivwa gade Manwèl ak yon rega satisfè. Li di li:

(Larivwa) - Adye monfi, ou se yon bon nèg. W a wè m denmen anvan midi, tande!

(Manwèl) - Bon, mèsi Tonton Larivwa, m ale!

(Larivwa) - Pran moso bwapen sa a, la klere wout ou, Manwèl!

(Manwèl) - Mèsi anpil, wi. Enben, kouzen m yo, m ale, wi!

(Dyejis) - Dakò!

(Manwèl) - Mèsi!

Manwèl pran wout la pou li antre lakay li. Sou wout la, msye ap reflechi:

(Manwèl) «M sèten, denmen Larivwa ap banm bon repons... Manwèl o, lavi a pral rekòmanse nan Fonwouj. Ou fè misyon ou. Se konsa tou, Ana, va wè m pa yon nonm ki parese. Se yon gason vanyan m ye!»

Manwèl ap mache nan chimen an depi yon bon moman. Se konsa, li tande yon bri sèk dèyè 1, li vire; li pa gentan pare kou a.

(Manwèl) - Kimoun...?

Lonbray la sèvi 1 yon dezyèm kou epi Manwèl tonbe. Msye pèdi konesans. Yon ti moman apre, li kòmanse revni. San li gaye toupatou.

(Manwèl) – M ap mouri nan chimen an tankou yon chen, mezanmi!

Menm si 1 ta rele vwa 1 t ap twò fèb pou yo ta tande 1. Bò zepòl li dechire ak kout ponya. Manwèl ap senyen anpil, men, li gen tout konesans li sou li koulye a.

(Manwèl) - Fò m rive lakay mwen!

Li eseye kanpe, li tonbe. Li rale, li ranpe. Finalman, li fè jèfò joustan li rive devan pòt lakay li a. Li pale men, vwa li fèb.

(Manwèl) - Manman?

(Delira) - Kilès moun sa a?

Delira leve. Lè li parèt, li wè Manwèl benyen ak san. «Non!» li di byen fò.

(Manwèl) - Manman, tanpri... Fè vit!

Delira trennen Manwèl 1, li al mete 1 kouche.

(Delira) - M te konn sa. M te konn yo t ap asasinen ou!

(Manwèl) - Manman, ou la manman?

(Delira) - Wi, pitit mwen, wi, m la! Di m non malveyan an pou m al avèti Ilaryon!

(Manwèl) - Non, non... fòk nou sove dlo a. Mande Anayiz chimen ki mennen nan dlo a!

Apre yon ti moman, li dòmi. Delira chita bò kote 1, l ap lapriyè: «Bondye, zanj mwen yo, m lapriyè nou an gras, fè 1 viv. Si li mouri, sa m ap tounen!»

Li te fin jou, Manwèl fè yon ti sekwe kò 1, li louvri je 1.

(Delira) - Ou leve, pitit mwen? Kouman ou ye? E kò a?

(Manwèl) - M swaf!

(Delira) - Ou vle yon ti kafe?

(Manwèl) - Louvri fenèt la, souple manman! Manman, si w al avèti Ilaryon, ap toujou gen menm bagay Sovè ak Doriska

a. Ap toujou gen lènmi ak revanj. Lò sa a, se dlo a tout moun ap pèdi. Al jwenn Larivwa, di 1 rekonsilyasyon an fèt, lavi a ap rekòmanse! Epi chante lantèman m ak yon chante konbit!

Se konsa Delira tande vwa yon moun ki frape devan pèt li a.

(Nonm) - Onè?

(Delira) - Respè!

(Nonm) - Ey! Bonjou, Delira!

(Delira) - Bonjou, wi!

(Nonm) - Sa Manwèl gen la a? Li malad?

Delira deside respekte demann Manwèl te fè li a. Li pa bezwen pèson moun konnen sa ki rive Manwèl.

(Delira) - E... wi... Li dwe pote kèk vye maladi sou li sòt Kiba!

(Nonm) - Sa kontrarye m paske lyetnan an t ap mande pou li. Di 1 pou 1 parèt nan kazèn lan kou li miyò!

(Delira) - Se byen, m a di 1 sa!

Delira tande bri pye Ilaryon k a prale, li vire tèt li bò Manwèl epi li wè yon rigòl san k ap sòti nan bouch li: Li mouri ak pwomès manman 1.

95

XVI. Lanmò Manwèl

Nan peyi sa a, vwazinaj se fanmi. Doulè yon manman se pou tout manman. Se sa ki fè kay Delira te gen tan chaje ak moun. Dorelyen kanpe devan kadav Manwèl, chapo 1 nan men 1.

(Dorelyen) - Alòs, chèf, ou ale, ou ale tout bon vre?

(Dyejis) - Pran kouraj, tantin!

(Delira) - Se vye lafyèv peyi Kiba sa a wi!

(Maryàn) - Ala mizè pou nou, malerèz!

(Delira) - E byen, se lavi wi. Maladi gate vanyan!

(Maryàn) - Tantin, m ap ede ou lave kò a, wi!

(Delira) - Non non, m ap tann!

(Maryàn) - Kilès ou ap tann nan?

(Delira) - M repete ou «m ap tann!»

(Maryàn) - Kòmè Delira, pran ti tas te sa a. L a bon pou ou!

(Delira) - Mèsi!

Lèzòt yo ki te nan reyinyon kay Larivwa a gen tan pran nouvèl la. La menm, yo ale reyini kay Larivwa. Y ap fè kòmantè sou lanmò Manwèl la. Yo sispèk sa ki dwe rive.

(Janchal) - Nou chèche Jèvilyen, nou pa wè 1. Pòt lakay li a fèmen!

Larivwa t ap panse.

(Larivwa) - M konprann.

Pandanstan, moun Delira t ap tann lan ap pwente. Se konsa, li pèdi kontwòl li. Anayiz annik parèt nan baryè a Delira pran kriye.

(Anayiz) - O! Manwèl. M pa kapab kwè sa mwen tande a!

Gen yon nonm ki rele Antwàn ki te kanpe bò bayè a, li gen tan rekonèt Anayiz kou 1 ap rantre lakay Delira a. «Sa ti fi Wozana a vin chèche kay moun sa yo!...» li di nan kè 1.

(Antwàn) - Ki moun ou bezwen, Anayiz?

Delira gen tan al rankontre Anayiz. Youn makonnen ak lòt, lamenm.

(Delira) - Kouraj, pitit mwen!

(Anayiz) - O! Manman!

(Delira) - Podyab, podyab ti nègès!

Antwàn gade medam yo ki ap kriye epi li di: «Lavi a se yon salopri! Tchik!»

Anayiz pèdi tout sanfwa 1, li kòmanse ap kriye.

(Anayiz) - Manwèl, Manwèl! O! O! non, Bondye ou pa bon. Gade doulè nou non. Èske w ap dòmi, èske ou avèg, èske ou san zantray? Kote jistis ou ye? Kote pitye ou a ye? M mande ou kote mizèrikòd ou a ye?

Delira gade Anayiz ak lapenn. Li pwoche l epi li di l:

(Delira) - Ana, Ana cheri, bouch ou ap fè peche!

Kalo ki rantre nan kay la pou li kontanple kadav Manwèl bese tèt li ak dekourajman. Apresa, li leve tèt li, epi, li gade anwo, li gade anba... Li santi yon dezespwa antre sou li.

(Kalo) - Wi. Depi nan Ginen, nèg ap mache nan loray, nan tanpèt, nan latoumant. Yo di Bondye bon. Pito yo ta di Bondye blan...

Delira koupe Kalo lapawòl. Sa l ap di a twòp pou zòrèy li yo.

(Delira) - Sispann, Kalo, sispann. Kay sa a gen twòp madichon deja!...

Li vire gade Anayiz k ap kriye san konsolasyon epi li di l: 'Sanble kouraj ou mafi, nou pral benyen Manwèl. An nou benyen li !'

(Anayiz) - Wi, manman!

Lè moun yo fin sòti nan chanm lan, Delira ak Anayiz rete ak mò a epi yo fèmen pòt la.

(Delira) - M pral moutre ou yon bagay, pitit mwen. Pinga ou janm pale sou sa, tande!

(Anayiz) - ?!.. O! Bondye papa m!

(Delira) - Ou pa wè anyen ou pa konn anyen, tande pitit. Fè sèman!

(Anayiz) - O! manman, m pa gen kouraj pou m benyen l non!

(Delira) - Se devwa ou. Se nonm ou li te ye! Mete fanm sou ou!

(Anayiz) - Wi, se devwa m... M ap fè l!

Anayiz benyen kadav Manwèl, Delira ede l. Lè yo fini, Anayiz di: «An nou mete manchèt li a bò ren l. Li te yon bon abitan!

Pita, lè Byenneme ap tounen, li poze tèt li kesyon pou ki sa rasanbleman moun sa yo devan pòt li a. Pèsonn moun lakay li pa vin louvri bayè a pou li. Msye fache. «M gen yon pitit gason, men kounye a se vwazen k ap louvri pou mwen antre!

(Byenneme) - Mèsi Kanmenm Dorelyen!

(Dorelyen) - Konpè Byenneme...

(Byenneme) – Sa k genyen ?

Delira ki te andedan gen tan sòti, li mache sou Byenneme.

(Delira) - Byenneme, papa, desann chwal la, non! Vin ede m.

(Byenneme) - Ki sa, ki sa ki rive? Kisa ki genyen?

(Delira) - Ban m men ou, Byenneme! Bondye papa mwen! Byenneme, mezanmi, men Byenneme, wi!

(Byenneme) - Sa k genyen, sa k genyen mwen mande? Manwèl?

(Delira) - Wi... Byenneme. Yon sèl pitit gason nou an se li ki te tout konsolasyon nou!

Byenneme fè sezisman. Yon gwo lapenn antre sou li... Li antre andedan kay la. Lè li wè kò Manwèl sou kabann lan, li reflechi epi li di:

(Byenneme) « Manwèl, pitit mwen, ou chwazi wout ou!»

***

Pita, Dorelyen ap koupe planch lakay li. Menm, msye tou t ap reflechi. Apresa, li al klouwe sèkèy Manwèl la.

(Dorelyen) - «... Se te yon bon nèg, mezanmi... Manwèl pa t gen parèy li nan bouk la! Li te di m: Gen yon jou ki pou rive...»

(Dorelyen) - Ban m yon klou, Ansèlm!

(Dorelyen) - «... pou nou fè gwo travay konbit la, pou nou wete Fonwouj nan mizè sa li ye a!»

Msye pa wè byen pou li klouwe sèkèy la. (Dorelyen) - Pwoche limyè a ti kras, Ansèlm!

(Dorelyen) - «... Ou pa gen tan wè jou sa a Manwèl monchè. Ou ale anvan lè ou. Men, ou kite nou nan lespwa ak kouraj!»

(Dorelyen) - Ban m yon lòt klou ankò, Ansèlm !

101

Yon lòt moman, Dorelyen fin klouwe sèkèy la. Sèkèy la pare.

(Dorelyen) - M fini. Pou m di ou, konpè Manwèl, se yon sèvis ki pa merite mèsi!

XVII Fòk lavi kontinye

Van an t ap fè yon ti soufle, ou te kapab tande vwa moun yo nan veye a depi anba mòn nan.

(Dyejis) -Yo koumanse chante kantik yo wi!

(Ogis) - M tande wi! Ann ale!

Nan veye a, moun yo ap tire kont.

(Merite) - Timoun yo, krik?

(Timoun 1) - Krak!

(Timoun 2) - Krak!

(Merite) - Lè fi yo ap antre nan kay yo tout wete rad yo?

(Timoun1) - Hm?

(Timoun 2) - M bwè pwa!

(Merite) - Lè bato ap antre nan pò yo, yo ploye vwal yo! Te m ba nou yon lòt. M pral kay wa, m jwenn de chimen, fò m pase nan tou de?

(Timoun 1) - De janm kanson ou!

(Kalo) - Se sa. Men sa a, si ou jwenn li, m pa rele Kalo, ankò. Ti Mari mete men li sou kote, li di, li se yon bèl fanm... Sa a difisil? A! nou pa entelijan ase, bann nèg tèt di!

Tout sa timoun yo fè, yo pa kapab jwenn repons la.

(Kalo) - Tas! A! a!!

(Timoun 3) - Ban nou youn ankò!

(Timoun 2) - Souple!

(Ogis) - Chhh! nou fè twòp bri la a, bann malelve!

(Merite) - Bon, m ap fasilite nou sa a: Won kou boul, long kou gran chimen?

(Timoun 2) - Plòt fil!

(Kalo) - *Je bril ma lang epi je d*òn *mon san pou* fè plezir a la sosyete?

(Timoun 1) - Lanp!

(Merite) - Bon! Vès mwen vèt, chemiz mwen blanch, pantalon m wouj, kravat mwen nwa?

(Timoun 3) - Melon dlo!

(Dorelyen) - Ansèlm monfi, al plen tas sa a kleren pou mwen. Plen li ra dyòl, ou tande m? Ou pa fè kras ak kleren veye. Okontrè menm, se pou fè defen an onè. Si se Destin ki gen boutèy la nan men l, pa di l se pou mwen, di l se pou Lorelyen paske li pa dakò avèk mwen!

Pandanstan veye a ap kontinye. Te gen yon lòt ti gwoup ki te apa nan lakou a. Se te: Dorelyen, Flerimon, Dyevèy ak Lorelyen.

(Lorelyen) - Pou mwen, sa pa yon lanmò natirèl, non?

(Flerimon) - Se sa mwen panse tou!

Dorelyen menm pa dakò lè mesye yo di lanmò a pa natirèl. Men, si l te konnen!

(Dorelyen) - Delira di se move lafyèv. Si l di se sa, ki enterè li ta genyen pou l bay manti. Gen defwa ou konn malad doubout ou pa janm konn sa, non!

Se sa k fè Flerimon te dakò avè l.

(Flerimon) - Sa byen kapab tou!

Dyevèy bò pa l di konsa: «Lè ou travèse larivyè a midi, li sèk, men, lè lapli tonbe apremidi, lavalas desann, li ravaje tout bagay, enbyen se konsa lanmò ye!»

Dorelyen di konsa:

(Dorelyen) - Fòk nou konnen si defen Manwèl te di yon moun ki kote sous la ye. M te bon zanmi l men, li pa t gen tan montre m li!

(Flerimon) - Se posib Delira kapab konnen l!

(Dyevèy) - Petèt se ti fï Wozana a ki konnen l!

(Flerimon) - Sa ta yon devenn pou l ta mouri, pou l pa ta gen tan di yon moun sekrè a!

(Dorelyen) - Nou te gen tan gen espwa, nou te deja wè davans tout jaden pral wouze. Sa ta yon pi gwo lapenn pou nou, wi, pou nou ta pèdi espwa sa a!

(Flerimon) - Sa se ta yon malchans pou mwen. M te deja ap kalkile m pral plante pwa, paske pwa fè bon pri nan mache, wi!

(Dyevèy) - Bannann kapab donnen bò kannal la, wi!

(Lorelyen) - Mwen, m ta pral eseye pwawo ak zechalòt sou yon lòt ti mòso tè m genyen!

(Dorelyen) - Kòmkwa chak nèg te gen plan pa yo. Youn te di m ap fè sa, lòt la te di l a fè sa li menm. Pandanstan malè a t ap ri nou anba chal! Ayayay! Mezanrni, kò a ap tyoule, m pa rete anpil tan devan m menm. Men, m ta renmen wè ankò, menm si se yon grenn sèl fwa, mwen ta renmen wè mayi ak lòt rekòt kouvri jaden Fonwouj yo!

Annou fè yon kout je sou sa k ap pase andedan an. Anpil moun ap chante...

(Tout moun) - *Marchons au combat, à la gloi-re!...*

(Flerimon) «... M ap pran 1 ep...O! non!»

(Tout moun) - *Marchons au combat, à la gloi-re!...*

(Dyevèy) - Hm! lasi a ap gaspiye!

Msye etenn bouji a.

(Flerimon) - He! He! Apa Dyevèy mete nou nan fè nwa?!

***

Dènye priyè veye a fini, tout moun bouke. Gen moun k ap kabicha bò tab yo, fatige. Genyen ki ale lakay yo pou yo tounen pita. Dorelyen vin salye tout moun, li salye mò a...

(Dorelyen) - M ale tou, wi. Delira, Anayiz, na wè pita! «... M ale chèf!»

Vè dizè dimaten, Aristomèn, pè savann lan parèt.

(Aristomèn) - Bonjou lasosyete!

Delira te pote kafe pou li.

(Aristomèn) - Mèsi anpil!

Yo mete Manwèl nan sèkèy li.

(Aristomèn) - Nou pral koumanse! N ap priye pou defen yo! Nan abim nan, m rele ou seyè, koute vwa m. Se pou zòrèy ou tande vwa m k ap priye ou! Se pou 1 repoze nan lapè. Ensiswatil!

Se vale Aristomèn ap vale mo yo.

(Aristomèn) - Vobiskum, sekulum, dominum!

Gen yon nonm k ap tande Aristomèn, msye gaga devan gwo mo sa l ap di yo.

(Nonm) - «... Tonnè! Li fè, wi, Aristomèn sa a, li save, wi!»

(Aristomèn) - Santae trinitatis...

Li rale boutèy dlo benit la nan pòch li.

(Aristomèn) - Per kristum Dominum nostrum. Amen.

Aristomèn pare pou li fèmen sèkèy la. Anayiz rele.

(Anayiz) - O, non, non, ban m wè 1 yon dènye fwa! O non!

Delira pran rele tou, se nan zantray li doulè lanmò a ap soti.

(Ogis) - Kouraj, kouraj Delira!

(Delira) - Nou fini Byenneme, nou fini! Pa gen espwa lavi pou nou ankò. Manwèl ale. Nou fini, Byenneme, nou fini nèt.

Jwachen, Dyevèy, Flerimon ak Dorelyen charye sèkèy la sou zepòl yo. Yo ale antere Manwèl. Lè yo rive devan twou a, yo mete sèkèy la atè pou yo desann li.

(Jwachen) - Desann li dousman, mesye... Ale... Atansyon! Oke!

(Dorelyen) - Podyab! Li mouri nan jenès li. A! li te yon bon nèg wi!

Delira leve de bra 1 anlè.

(Delira) - Bondye, nou mande ou fòs, kouraj, konsolasyon ak reziyasyon!

Yo voye tè sou sèkèy la. Yon lòt ti moman apresa. Dorelyen di:

(Jwachen) - Enbyen, nou fini. Repo pou ou, frè Manwèl, pou toutan, toutan!

Lè tout moun fin ale, Dorelyen te rete dèyè paske li t ap kouvri tè a byen sou sèkèy la.

(Dorelyen) «... Lè m gen kòb m ap fè yon tonm pou ou ak non ou ekri sou li, Manwèl!»

***

Menm jou swa lantèman an, Delira te ale lakay Larivwa.

«Tòk Tòk!»

(Larivwa) - Ki moun sa a?

(Delira) - Se mwen, Delira!

(Larivwa) - Ak respè, vwazin. Antre non, souple!

(Delira) - Mèsi! Ou t ap tann vizit mwen Larivwa?

(Larivwa) - Wi, m t ap tann ou! Larivwa bese tèt li epi li di:

(Larivwa) - Jèvilyen...!

(Delira) - M konnen. Men, pèsònn pa bezwen konnen sa sitou Ilaryon ak otorite yo! An nou kite sa la. Manwèl pa t vle plis dezinyon.

(Larivwa) - Li pa te vle?

(Delira) - Non, li pa t vle, lè 1 t ap trepase a, li te di m, fò nou sove dlo a. Li te fè m pwomèt li sa!

(Larivwa) - Li te isit la jou swa lanmò 1 la. Li te kanpe anba tonnèl la nan mitan abitan yo, li t ap pale, m t ap koute 1. A! se te yon nèg ki te gen bon kalite!

(Delira) - Li mouri! Li ale, wi.

(Larivwa) - Li ba ou yon misyon?

(Delira) - Wi, se pou sa m vini. Ale chache lezòt yo!

(Larivwa) - Èske se defen Manwèl ki mande ou pou pale ak yo?

(Delira) -Wi, se li. Men, mwen menm tou, m vle pale ak lèzòt yo. Mwen gen bagay pa m mwen vle di yo. Mwen gen rezon m!

Larivwa pran chapo 1 pou li soti. Li ta pral rele lèzòt yo. Anvan li deplase, li di Delira:

(Larivwa) - Fòk nou respekte volonte mò yo!.. Pou m pa mize twòp, m ap pase kay Simidò, gason m lan, m pral rele detwa nan mesye yo, li pral rele lòt yo. Si lanp la bese, leve mèch la, se pa yon move lanp, non, se gaz Floranten an ki pa bon!

Delira rete ap reflechi.

(Delira) - «... M pral pale ak yo tout. M ap di yo tout sa mwen gen pou m di. Apresa, fò m ale dòmi, m bouke!»

Yon kadè apre... lanp la mouri. Delira rete nan fè nwa a.

«Krak!» Sa se bwi pye moun k ap pwoche nan fè nwa a.

(Larivwa) - Delira o! Ou rete tout tan sa a nan fè nwa!

(Siprilan) - Lezòt yo deyò a wi!

(Delira) - Fè yo antre, Larivwa! Fèmen pèt la!

Delira ap gade figi yo youn apre lèt, epi li di:

(Delira) - M pa wè Jèvilyen non, m di m pa wè Jèvilyen Jèvilis... Men, se domaj paske m ta renmen 1 tande pawòl gason m nan te di m anvan li mouri! Nou fè anpil sakrifis

110

pou lwa yo, nou ofri san bèt pou fè lapli tonbe, tout sa rete radòt. Paske sa k konte se sakrifis pwòp tèt nou, se san nèg! Li di m ankò, al jwenn Larivwa, di 1: «Volonte san m ki koule a se rekonsilyasyon, rekonsilyasyon pou bèl lavi a kapab rekòmanse.» M ta pral avèti Ilaryon pou sa ki rive a, men, Manwèl pa t vle, paske, li te vle sove inyon nou tout nan Fonwouj pou nou tout ka benefisye dlo a!

(Larivwa) - A! Sa se yon gwo pawèl wi, msye di la a!

Nerestan di Delira:

(Nerestan) - Manman, ti manman, ou gen yon gwo lapenn nan kè ou, wi!

(Delira) - Wi, monfi, m remèsi ou anpil, men m pa vini pou rakonte nou lapenn mwen. Mwen vini pou m rapòte nou dènye sekrè gason m nan te voye pou nou!

Larivwa pwoche bò Delira li ba li lanmen epi msye di:

(Larivwa) - Mwen ba ou lanmen sa a se senbòl pou ka gen byen viv nan mitan nou, se pou tout moun byen youn ak lòt. Aksepte lanmen sa a, manman, ak tout pwomès pawòl donè mwen. Pa vre, lezòt yo!

Chak nan mesye yo te gen yon bagay pou yo te di Delira. Yo te vle montre li afeksyon yo gen pou li epi respè yo gen pou Manwèl, pitit li, ki mouri nan kondisyon sa a:

(Nerestan) - Manman, se mwen menm Nerestan, k ap vin fouye kannal jaden ou a pou ou!

111

(Janchal) - Delira, mwen, m ap plante pou ou!

(Siprilan) - Ou mèt konte sou mwen tou, Delira!

(Dyejis) - Mwen, m ap sakle pou ou tanzantan!

Delira byen kontan jès la. Li reponn:

(Delira) - M konnen nou tout ap ede m, mèsi nèg mwen yo, gason m nan tande nou tout kote li ye anba tè a. Se konsa li te vle pou nou menm abitan mete tèt ansanm! Tan sèlman, depi kounye a nou konplis: pa janm di si mwen vini isit la... Se lafyèv ki touye Manwèl, nou konprann mwen byen, pa vre. Fè yon kwa sou bouch nou!

(Siprilan) - M fè sèman sou vi m, m p ap pale! (Janchal) - Ni mwen tou!

(Dyejis) - Vyèj pete je m pa gen yon mo k ap janm soti nan bouch mwen!

Epi Delira di Larivwa:

(Delira) - Larivwa, konpè mwen, kite semenn sa a pase akòz lanmò a, epi w a vini ak lezòt yo kay Dorelyen kou solèy la fin leve. N ap tann ou. Anayiz, bèlfi m lan va mennen nou kote sous la ye a. Bon, m bouke mezanmi, kò m pa bon menm. M ale wi!

(Larivwa) - Tann, m ap fè Similyen ale ak ou!

(Delira) - Men non, Larivwa, men non. Mèsi pou politès la, deyò a gen bèl lalin ak zetwal. N a wè!

Delira panse nan tèt li : « ... Sa pou m te fè a, m fè l!»

***

Bò kay Byenneme ak Delira a se tankou yon siklòn te pase. Zòn lan frèt nèt. Delira chita, 1 ap reprize yon rad. Se konsa, Anayiz rantre nan bayè a li vin wè yo.

(Anayiz) - Bonjou, manman!

(Delira) - E! Bonjou pitit fi mwen!

(Anayiz) - W ap fè je ou fè ou mal wi, manman. Ban m reprize rad la pou ou!

(Delira) - Se yon okipasyon, wi, pitit mwen... Si yo te ka koud lavi a, si yo te ka rapyese lavi a, ala koud mwen ta koud! Men, sa pa posib!

(Anayiz) - Manwèl te konn di m: Lavi a se yon fil ki pa janm kase, ki p ap janm pèdi paske chak moun pandan egzistans yo gen pou yo fè yon ne, yon moso nan travay la!

(Delira) - Gason m nan se te yon nèg ki te kalkile anpil, wi!

Van an te bwote bri konbit ki t ap travay pou louvri dlo a rive jous nan zòrèy Delira.

(Delira) - Jil di m se jodi a y ap lage dlo a nan kanal la. Se yon gwo bagay wi. Ann al gade!

(Anayiz) - Jan ou vle, manman!

113

Delira leve li suiv bèlfi li ki pran devan. Li santi solèy la twò cho pou li.

(Delira) - Solèy la cho, Anayiz. M pral mete chapo m!

Anayiz te gen tan kouri andedan al pran chapo a pou Delira.

(Delira) - O! pitit mwen, mèsi. Ou pran swen mwen anpil!

Epi, yo ale ansanm. Yo mache kont yo. Yon moman apre, pandan yo sou wout la, Anayiz di:

(Anayiz) - Manman, nou prèske rive, wi. Men bit Fanchon an!

Lè yo rive nan mitan mòn Fanchon an. Delira bouke.

(Delira) - M bouke. M p ap monte jouk sou platon an. A! m wè yon wòch plat. M pral chita!

(Anayiz) - Kouraj, manman! Chita non.

Kote yo te chita a, yo te wè tout plenn lan nèt.

(Delira) - Se la a yo ye. Se la y ap travay!

Yo te tande bri moun ki t ap chante nan konbit la.

(Konbit) - «Man-wèl Jan Jo-zèf o! Nèg van-yan, anye wo! anye wo!»

(Anayiz) - Ou tande, manman?

(Delira) - M tande, wi!

Anayiz reflechi. «... Talè konsa plenn lan pral kouvri ak bèl fèy vèt. Jaden yo pral pouse bèl bannann, mayi, patat ak flè.

114

Tout sa, granmèsi pitit ou a!»

Yo rete konsa, yo pa tande anyen ankò. Delira di:

(Delira) - Sa k dwe pase?

(Anayiz) - M pa konnen non, manman!

(Konbit) - «Man-wèl o nèg van-yan anye wo!»

(Anayiz) - Manman, men dlo a!

(Konbit) - «Man wèl Jan Jozèf, nèg van yan, anye wo! anye, wo!»

Delira pran kriye. Li di:

(Delira) - O! Manwèl, Manwèl, Manwèl, Pou ki sa ou mouri?

(Anayiz) - Non, manman, li pa mouri. Ban m men ou, manman!

Anayiz pran men Delira, li mete 1 sou vant li. Vant Anayiz bat detwa fwa... Lavi a pou kontinye... Delira pantan. Li gade Anayiz epi li koke 1.

(Delira) - Ou gen rezon, pitit mwen! Ou gen rezon.

(Anayiz) - Manman mwen!

(Delira) - Pitit mwen!

(Konbit) - «Manwèl Jan Jo-zèf, nèg van-yan, anye wo! anye wooo!»

FEN